敏捷管理生存指南
不是快，而是適者生存　　下‧進階應用

避開雷區與自泥沼中脫困者

鄭有進　YUCHIN CHENG
台北科技大學資工系教授

　　敏捷方法看似簡單，網路上亦不乏幾十分鐘內說完 Scrum 的影片。然而，為何許多嘗試敏捷的團隊，卻屢屢遭遇挫敗？作者以任職一家擁抱敏捷方法多年的跨國軟體公司高階管理人的高度與經驗，道出關於人、方法與既有管理概念對實施敏捷方法所帶來的挑戰，並在許多關鍵處指出克服之道。整本書雖精簡，所引用的知識來源卻極為廣闊；個人相信，本書對決定擁抱敏捷方法的組織與團隊，在避開雷區與自泥沼中脫困兩件事上，將能帶來許多助力。

這是一本值得用心去讀的書

查士朝　Shi-Cho Chao
國立臺灣科技大學資訊管理系教授
資通安全研究與教學中心主任

在看完 Yves Lin 兄的大作後，這樣的心聲從我內心浮現。近幾年來，我們從很多社群或是會議中，聽到了很多敏捷管理方法的成功案例，或是覺得導入 Scrum 就可以解決系統開發的所有問題。

但真實的情況並沒有那麼簡單，在我們期待有一個清單，而可以照著清單一步一步去導入敏捷管理方法的時候，實際上並沒有一個適用於所有情況的做法。因此，需要靜下心來想一想到底應該要怎麼做比較好。

而這本「敏捷管理生存指南」，正是一本可讓人真正去解決落實敏捷管理方法的絕佳書籍。這本書在開始時，透過辯證的方式，讓我們去思考到底敏捷管理方法的本質是什麼？而從根本上避免一般對敏捷管理方法的錯誤認知。

之後，提供了對於敏捷管理、並特別針對 Scrum 的介紹。從由淺入深的角度，讓新入門者掌握關鍵概念，而讓已經有一些基礎的人溫故知新。

接下來是這本書最精華的地方：也就是林兄以他之前在新加坡商鈦坦科技的經驗，告訴大家在導入 Scrum 或敏捷管理方法時，所會面臨到的問題，尤其針對幾個比較重要的程序，像是如何促成團隊的成長，或是如何進行會議等等，由過來人的經驗進行分享。

許多要導入敏捷管理方法的組織應該已經有一套制度，本書也將敏捷管理方法與傳統專案管理方法相對應，而可以比較無痛地朝向敏捷方法進行。

這本書不建議一口氣看完，而建議在看完一個章節以後停下來，回頭去思考作者所提出的問題，乃至於去閱讀相關的參考文獻，一定可以大有所獲。

管理者與軟體開發者人手應有的一本好書

林明樟　MJ Lin

兩岸三地頂尖財報講師暨連續創業家

　　認識 Yves 是在多年前企業內訓的課程裡，第一眼以為他只是一位年輕的軟體開發專業經理人，沒想到課後閒聊才發現：他是一家上百人企業的總經理，更酷的是年紀輕輕的他，是外商在台分公司的第一號員工，從零到一，建立了一支能「指哪兒打哪兒」的軟體鐵軍。

　　這幾年透過臉書的交流與閱讀他個人部落格文章更發現，他是一位有想法、大格局、能做事的開創型企業家。他也是大膽將全公司上百人一口氣全面導入敏捷開發的第一人，其開創性的視野，獲得我們這群在上市大型企業服務多年的專業人士的敬意。

　　我的商場大前輩城邦首席執行官何飛鵬曾說：「創業就是快快做、快快錯、快快改、快快對」，與敏捷的思維不謀而合：快速迭代、強調復盤、將被動接受指令的團隊轉化成自我優化的學習性組織。

　　但 Yves 多年導入的敏捷開發實務智慧，比我想像的還要多，他在書中點出了敏捷開發與眾不同之處：

> 在思維上：區分可控／不可控，他讓團隊專注在可控的部份
> 在態度上：失敗者放大困難、成功者專注目標
> 在決策上：以機率思維做勝算大的事
> 在時程上：以 Scrum 進行短衝刺的檢核點
> 在做法上：強調相乘效益之間的協作，而非傳統相加思維的各自為政

Yves 十多年的經營管理經驗也像古人一樣充滿智慧，已經昇華到「內方外圓」的更高境界：

> 內方：代表有方法、有步驟、有標準（MVP、Scrum、sprint，etc.）
>
> 外圓：天下武功唯快不破的商業認知，不一定是真理；唯有適者生存，自行演化成為學習型組織才是企業長治久安之策，畢竟再強的高手總有心有未逮之時，就像非洲古諺所言：「一個人走得快、一群人走得遠。」敏捷管理思維讓您的組織獲得想像不到的續航力。

企業經營是一場馬拉松而非短跑，上半場求的是速度、下半場求的是適應環境的彈性與自適能力；在後疫情萬事不可預測的年代，也許敏捷思維的彈性生存作法，正是您所需要的跨世代心法。

這是一本充滿實戰智慧與人文關懷的《敏捷管理生存指南》，想要第一手得知敏捷思維方方面面的高手或團隊們，這本書您千萬不能錯過。

MJ 五星滿分推薦給您《敏捷管理生存指南》。

高效敏捷組織的秘密和 Know-How

王永福　Jeff Wang

《教學的技術》《上台的技術》《工作與生活的技術》作者

　　週一，一個禮拜的開始，就像平常一樣的上班日。但不平常的是：今天我將成為鈦坦科技的一日員工，參加以敏捷管理聞名的鈦坦科技，在一週的開始，是怎麼開始工作的？團隊怎麼進行站立會議？怎麼分工？怎麼訂定目標？又是如何完成高效的工作？然後今天剛好有一個團隊要展示每週衝刺的工作成果，我也很好奇想看看，當把一個半年的專案，切成一週一週的衝刺目標，真的可以拿出什麼可以展示的週工作成果嗎？帶著許多好奇，在早上 10 點，參加了 Alpha 團隊的站立會議，看著牆邊滿滿的便利貼，我有種熟悉的感覺……。

　　會有這樣一日員工的機會，是因為過去 9 年我有幸陪伴著鈦坦科技一起成長。 2012 年，我第一次幫鈦坦科技上內部講師訓練，也是在那時第一次認識本書的作者，時任鈦坦科技總經理的 Yves，帶著公司的核心成員 20 多個人，一起在深坑假日飯店的會議室裡，紮紮實實地上了 2 天的課程。Yves 跟所有夥伴一樣，該討論時就討論，該上台時就上台，我對 Yves 跟團隊的活力及執行力，留下了非常深刻的印象。

　　接下來每 1～2 年，我都會回鈦坦進行新進講師的訓練。我也發現到：幾乎每一次公司都會換新的辦公室，因為公司的業務規模越來越大，人數越來越多，辦公室也越換越大。從一開始的 20～30 個人，到後來的 200～300 人，十年不到人數已經呈現 10 倍以上的成長，而且聽說還在持續成長中，又要換新辦公室了！身為鈦坦的內部講師訓練顧問，我自己也很好奇：這是怎麼做到的？

雖然我自己從一些書上，學到敏捷式工作的方法，過去跟不同公司合作的經驗中，也大概知道什麼是 Scrum、每日立會、衝刺週期、看板管理……。甚至都用其中的某些方法，管理我自己的年度目標執行，像是博士論文計劃書的衝刺、或是工作專案的開發。但看著鈦坦科技的成長，我好奇的想知道：這些敏捷式的工作跟專案管理方法，如何落實到每一天、每一個工作、每一個團隊、每一個人身上？實際執行時是怎麼樣的？有哪些技巧，又會遇到什麼問題嗎？我想要知道這些高效敏捷工作的秘訣，轉化成用在我自己的工作及專案任務上。

　　連續 2 天的一日員工，讓我有機會像影子一樣貼身學習。當然，學習的內容是企業的機密，我無法一一的公開，但看了本書，我發現也不需要我公開，因為本書已經鉅細靡遺的，把敏捷組織是如何開始、如何運作、執行細節、又會遇到哪些困難、有哪些的 Know-How，都已經清楚地寫出來了！像是大家最常問到的：由團隊自己決策任務，這樣會不會太困難的任務沒人做呢？立會要怎麼開？衝刺會議要做什麼？怎麼樣從傳統的專案管理，導入敏捷式思維？這些我當初去當一日員工時心中有的問題，Yves 用推動者的角度，仔仔細細地公開了這些做法及細節。這也太詳細了……哈！

　　如果希望學習敏捷、導入敏捷，不管是在公司的任務或個人的專案（像是我也曾經用它來做博士論文衝刺，以及房子的裝潢任務），這是一本基礎深厚卻又基於實務的好書。只要您仔細閱讀，並且思考轉化，相信您一定可以從中獲得不少收穫。

　　讓您的思考更清晰、讓您的行動更捷敏、讓您的組織更強大、讓您的成果更有效，我誠摯推薦！

工具並不能解決「人」的問題

鄭永斌　Yung-Pin Cheng
中央大學資工系所教授

　　軟體工程在台灣向來是個冷僻的研究領域。雖然一個真正的軟體公司通常都會知道軟體工程的重要性，但是在台灣這個硬體大國裡，軟體工程實踐也許經由過去 CMMI 與 waterfall 的摧殘，可能連信仰者都被搞得心志動搖。有時候，碰到某些廠商，經過自我介紹我是軟體工程的教授之後，通常他們都是假設我所信奉的就是寫很多開發文件那一套。然後，如果有機會更深入，他們有時會旁敲側擊地暗示我軟體工程那一套對他們沒有什麼用。

　　不過，軟體工程的發展在近 10 多年來，從 2001 年的敏捷宣言開始，算得上是翻天覆地。連我都得小心翼翼地追趕與觀察這波改變。認識 Yves 應該是在台灣軟體工程會議邀請的贊助廠商演講。那時候的我其實有點詫異怎麼台灣有廠商這麼熱誠地推廣著敏捷開發以及 Scrum。在那一場演講中，他侃侃而談過往軟體開發的故事：也就是一群自認為 coding 高手意氣風發地聚在一起開發產品，然後卻慢慢地踏入人月神話的焦油坑。就在領悟了人月神話之後，人員士氣卻也因此低落、離職，到專案失控。當然，Yves 他們最終藉由敏捷開發，反轉了此一困境，最後也從信仰變成一個傳道者。

　　軟體工程研究如果有流派，那我大概是工具派，例如研發與探索更新的測試自動化工具來減少撰寫測試程式碼的痛苦，就是我的研究方向之一。但是工具並不能解決「人」的問題。而解決人的問題，其實已經到了「形而上」的境界，所以學術界自然比較不會去碰觸這樣的題目。幾年來，我陸續擔任台灣大廠的軟體工程顧問。但是我的顧問成績，目前都僅止於工具的導入。說得誠實一點，軟體工程工具的導入成效相對顯著，一來不容易失敗，二來工程師的抗拒也相對較低。但是如果與廠商高層們更進一步聊到軟體專案管理時，他們

其實也大概都試著導入過 Scrum，但是都流於形式，最後都以不了了之告終。也就是說，若要更進一步地推動軟體工程文化優化，你就會碰到「人」的問題。而一群人加上公司的各種做事情的方法與特性就會形成「文化」。絕大多數人都知道文化是根深蒂固，要撼動並非易事。

我也曾參與國外的一些 Scrum games 的活動，這些 Scrum games 設計的巧思，其背後的道理，就是為了從根本改變人的思維。這些 Scrum games 的設計者應該也是發現，傳統的上課與 training 雖然能傳遞知識卻不見得能改變人的思維，所以藉由一些遊戲來達成從根本改變思維的目的。說到啟發，講個故事。我的表弟陳維超（目前為英業達數位長）過去曾經在美國的 Nvidia 多年體驗到深度與嚴謹的軟體工程文化，後來他也換了一些公司，接觸到各公司不同的軟體工程現況與文化，他認為軟體工程文化要能夠推得起來，你必須要營造一個類似信仰的文化。大家先有信仰以及實踐了之後，一些軟體工程的好處才能在相對遙遠的時間點彰顯出來。套一句現在 COVID19 的術語，打疫苗的人數要夠多到一定的量，你才能集體免疫。偏偏建立信仰卻不是簡單的事情，因為信仰者通常得經歷過親身的實踐與見證。從 Yves 的書中，你可以看到豐盛滿滿的實踐與見證，還有那一些如果能重來，不要踩的誤區。從信仰進而傳道大概可以解釋 Yves 出這一本書的目的。

看完 Yves 的大作，我對 Scrum 的理解也更加謙卑了。回想我過往試行 Scrum 在團隊管理上，相對偏重在 iterations, incremental delivery 等等產出。不過當團隊成員不太對勁的時候（例如學生），你就會發現成效往往不盡如人意。其實在看完 Yves 的大作之後，我現在對原因也很清楚了。我可能在促進成員的自組織上還得加把勁。最後，經過這本書的啟發，我也準備針對我手上的專案，進行許多專案管理的實驗與觀察。當你把本書的精華變成真正屬於你的團隊的敏捷，我想那才是真正的成功。

Chapter. 6
戰況討論

敏捷經驗答客問

從前有一位老和尚和一個小和尚下山去化緣，回到山腳下時，天已經黑了。

小和尚看著前方，擔心地向老和尚問：「師父，天這麼黑，路這麼遠，山上還有懸崖峭壁，各種野獸，我們只有這麼一盞小小的燈籠，怎麼才能回到家呀？」

老和尚看看他，平靜地說了三個字：「看腳下。」

在敏捷的旅途上，也會遇到各式各樣的挑戰和情況，而這些都是很正常的，就像我們在面對任何的改變和學習一般，只要「看腳下」，看現在的情況，選一個需要解決的問題就好了。隨著問題一個一個被完善的處理，慢慢地您會發現有一天不再被問題追著跑，反而有許多的時間去嘗試有趣的嘗試，從被動處理問題變成主動找尋機會。

談完這麼多的細節之後，對敏捷還存有疑慮也是正常的，可以找您最困擾的部分開始嘗試吧，小小的改變也可以造成大大的影響，就讓實踐和現實來證明敏捷有多有效。

前文中，我們提到了關於敏捷的核心思考，也談到企業敏捷化的轉型，並且介紹了各種思維工具和運作會議的方式，更細說各種層面的專案管理。而在明白這些實際的操作方式之後，實踐起來還是一定會有些困惑之處。

緣此，本章節整理了我最常被問到的幾類問題，並彙整成一篇「敏捷答客問」，一一來解決大家常提出的疑惑。

1 敏捷化時的主管困境

> 「問題本身不是問題，如何面對問題才是問題。」
> Problems are not the problem; coping is the problem.
> ——維琴尼亞·薩提爾　Virginia Satir
> 知名家族治療工作者，薩提爾模式的創始人

——在專案一開始的時候，目標和需求都不明確，我們要怎麼辦？

專案剛剛開始的時候，「需求」不明確是正常的，所以我們才需要用迭代的方式逐漸探索來收斂需求。

但「目標」不明確就是不正常的了。我們做一件事情，一定要清楚知道為什麼要做和預期的成果，所以一定要有目標。

比如說：增加來客量、增加回購率、增加曝光等等。

此處暫且打住，先讓我問個問題：

Q 設立目標是誰的責任？

「……（一片死寂）」

「老闆。」

「那一個專案可不可以有多個目標呢？」

「當然可以，但目標越多專案的成功機率越低，因為沒有提供一個明確的方向給大家在執行時做取捨。我的建議是一個主要目標就好，其他附屬目標，有很好，沒有也沒關係。」

「但老闆想要什麼目標都達成怎麼辦？」

「我當初也想要有個十全十美的另一半。大家猜猜最後的結果是什麼？」

那對於主管來說，如何減低突發人事異動帶給專案的衝擊？很多新創團隊都是使用敏捷開發如 Scrum ，最大的原因是使用 MVP 技巧，可以快速迭代，盡快取得回饋。

而一個成熟的組織使用 Scrum 或敏捷，除了快速取得市場回饋，有什麼誘因或好處呢？跑 Agile，就主管來說最大的好處是提高組織的可持續性，把原本集中在重要成員身上的工作量，視覺化或顯現出來，讓大家可以分擔，從而增加團隊的公車指數。而團隊的可持續性，最好的指標就是公車指數（Bus Factor）。

公車指數

假設有一天，您接到電話：「不好了，我們團隊出去吃飯時有人被撞公車撞到了。」這時候，除了關心成員的身體狀況，第二反應有可能是，那我們的專案會有影響嗎？

如果是團隊的唯一梁柱發生意外，就會對專案造成巨大影響甚至要為此停止專案，那我們的公車指數就是（1）。如果是兩個人同時被撞到，才會對專案有巨大影響，那公車指數就是（2）。換句話說，公車指數越大，代表團隊或專案因為人員異動產生的影響越小。

我個人認為，如公車指數大於等於（3），團隊就可以相對長遠的走下去，也是工作量平均分擔的跡象。這對個人也很重要，因為超人也是會倦怠的，讓每個人保持不在滿載的狀況，更能夠發揮出自己的能力，同時也才能有學習和成長的時間。

如果公車指數少於（3）怎麼辦？別緊張，大多數的專案公車指數都是少於（3）的。（根據 2015 年的調查，github 上的專案，（1）占 46%，（2）

占 28％，只有 26％ 的專案大於等於（3））

現實中，被公車撞到的機率很低，但人難免會有身體病痛、心情起伏、失戀想砍人⋯⋯，把太多的壓力、工作量和資源投注在部分人身上，對團隊而言，風險太大了。

因此，把公車指數放大的方式有很多，如要開工時才決定誰來做 Task（避免一個人固定做某一部分）、在產品待辦清單精煉會議時確保大家都了解需求、輪流做 Support 讓大家熟悉常出狀況的地方、Pair Programming、有 CI 讓大家敢改別人寫的 Code、共同擁有代碼的意識（Collective Code Ownership）、甚至強迫放假不可以接電話等等。

而身為主管，除了注意團隊外，也要想想如果沒有了自己，團隊還能跑下去嗎？如果答案是否定的，那很明顯公車指數就是（1）。畢竟，主管也是團隊的一員啊。

敏捷夥伴迴響

> 凍仁翔　Chu-Siang Lai
> 《凍仁的筆記》部落格格主、DevOps Taiwan 社群志工
>
> 「一個好的站立會議，可以避免救不完火的一天！」
>
> 身為開發部門裡的系統工程師，每天除原定計畫，還得在第一時間修復數個資訊系統。要是能在一早開工前，事先得知大家預定的工作內容，就可大幅縮短解決計畫外工作的時間。

2 授權的大事小事怎麼分?

這邊談的是授權,我覺得抽象化的事務很難定義清楚,所以我是用原則來規範,只要符合以下三個原則基本上就都是小事:

公司利益優先

決策是著眼在公司整體的利益,而不是部門、團隊或個人。只要優先考慮整體利益,做出來的決策就不會偏離太遠,也更容易應對各方的質疑。

壞消息我不要從別人嘴巴聽到

出事了,或知道快出事了,第一時間必須馬上提出,千萬不要出事了還想要隱瞞。天下沒有密不透風的紙,消息怎麼樣都會傳出來。最傷主管信用的事情,就是部門出大事了他卻最後一個知道,因為這代表主管不在狀況內。

事不過三

跌倒了沒關係,下次不要在同一個地方跌倒就好。這考驗的就是自我反省能力。如果不知道怎麼避免犯同樣的錯誤,沒關係,來找我,我們一起想辦法。

3 如何設定有效目標？

Q 訂目標有什麼好處？

　沒有目標也可以活得好好的不是嗎？

　為什麼要訂什麼鳥目標呢？

　　目標，顧名思義，就是眼睛可以看得到的標的，也就是幫助大家校準、朝同一個方向前進的工具。當大家都往同一方向行動時，眾志成城，可產生的動能和結果是非常驚人的。所以所有從大到小的組織，從社群到國家，都會定出目標，就是為了讓大家往同個方向移動。

　　目標的第一個要件是：

> **有方向性，可以跟大家說往哪走。**

　　舉例來說，選舉常會出現的口號是「讓台灣更好」，這有方向性嗎？

　　當然沒有，因為每個人對好的認知不同。

　　有人薪水多一點就是好；有人放假多一點就是好；有人多睡一點就是好……沒有方向，大家就自己做自己的。

　　有人會說自己找方向也沒什麼不好？沒錯，如果世界上沒有競爭的話。

　　但有競爭，就需要找出自己的相對優勢，而目標就是集中火力打造自己相對優勢的好工具。

承上例，如果我們把目標改成「讓台灣每個人多睡一點」呢？還是不夠，因為「一點」是多少？多一小時是多，多五分鐘是多，多一秒也是多，要多多少才算達成目標呢？這沒辦法具體測量，而沒辦法具體測量，也就沒辦法得知到底目標有沒有完成，取得測量結果的難易度當然也要考量。

因此，目標的第二個要件是：

▶▶ **有可以測量的數字，讓每個人知道目前情況跟目標距離多遠。**

再承上例，如果選舉時有人提出了「讓台灣每個人每天多睡五分鐘」這個目標，可以嗎？還是不夠好，因為沒有時間限制。我可以說五年後達成，也可以說一百年後達成呀。

所以目標第三個要件是——

▶▶ **要有期限，以讓大家知道還有多少時間可以運用。**

如果再以上例來看的話，「在一年內讓台灣每個人每天多睡五分鐘」就算是個有效的目標了。

所以一個好的目標要提供方向，可以測量，還要有達成期限。設立好的目標可以用 SMART 原則，但我們團隊覺得有點太複雜，通常都用自己的簡單版本—— SNT 原則。

> SNT原則不限於制定目標，可以應用在所有溝通或工作事項上。

S 「SPECIFIC（具體）」：是指每個人都可以看懂的一句話。
多過一句話就變成作文，很容易變成畫大餅而難以具體。

N 是指「NUMBER（數字）」：可以量化的數字。如多少錢，多少人。

T 指「TIME（時間）」：要多久時間。如幾個小時，幾天，或是幾月幾號前完成。

敏捷夥伴迴響

66 **SYK　革命黨**

勇於改變，成就希望未來。 99

4 產品負責人對需求要了解到多少？

大家都知道產品負責人最大的責任是維護產品待辦清單，根據投資回報率（ROI）排出清單中各項目的先後順序，對產品的成敗負責。

導入後 Scrum Team 對這部分也比較少爭議，爭議最大的部分是產品負責人針對每一個 Item（Story）的需求要寫多清楚？

這個疑惑直到今年初在 Odd-e 呂毅的 CSPO 課程中才獲得解答（這堂課是 PO 或有志於 PO 朋友必修課程，建議上過 CSM 或 Scrum Introduction 先了解 Scrum 運行後再參加，加上實踐收穫更大）。

呂毅在課堂上提到產品負責人跟開發團隊的權責分配可以從一個需求項目的 Why、What、How 三面向來分析。

> Why 是 Item的戰略層面

是指為什麼要做這個 Item，這個 Item 的重要性和價值是什麼，為什麼這個 Item 要比其他的先做。

蒐集資料，聽取客戶和利害關係者的意見，把商業價值提煉出來後跟開發團隊解釋這 Item 重要性，這都是產品負責人的當然責任。總之產品負責人要搞清楚的就是 Item 的商業價值，搞不清楚或說不清楚會讓整個團隊陷入不知為何而戰的處境。

What 是 Item 的戰術層面

為了達成 Item 的價值，應該要有哪些功能給到使用者？這部分應是由團隊和產品負責人一起合作，在產品待辦清單精煉會議（Product Backlog Refinement）中討論，然後寫下來放到驗收標準（Acceptance Criteria）。所以 What 是產品負責人與開發團隊共同的責任，誰能力強就多貢獻一些。由開發團隊寫出，並當場跟產品負責人確認，可以增加開發團隊對需求的了解，減少後續許多誤解。

How 是 Item 的戰技層面

如何把功能在技術上實作出來，這部分是開發團隊的責任。當然其他人也可以提供建議給開發團隊，但最終的決定權是在團隊成員的手上。團隊成員如果可以解釋技術上的選擇和困難點給產品負責人參考，將可以增加雙方的互信。

舉例來說，如 EC 網站會員抱怨帳號常常被盜，初步調查是登錄時的安全措施沒做，讓駭客有可乘之機。

此時 Item 的需求如下：

Why 戰略層面	產品負責人確認商業價值為提升網站的安全性，以維持會員對網站的信賴度。
What 戰術層面	產品負責人和開發團隊討論出以下對策。密碼錯誤 3 次後需認證是否為真人，登錄資訊加密，提高密碼複雜度，禁止重複使用密碼，定期密碼重設，異常狀態 email 通知。

| How
戰技層面 | 開發團隊為達成 What 需要有技術處理 email，2048 bit SSL 加密，簡單密碼字典，歷史密碼加密記錄，產業通用密碼規則，CAPCHA 設計等等，這是靠開發團隊的專業能力。 |

總結這個問題，產品負責人到底要將需求寫到多清楚？

項目的 Why 一定要説清楚，講明白。但要求 How 要產品負責人生出來就不合理。而就算 What 由產品負責人獨立生出來了，很多開發團隊和產品負責人藉以溝通和檢視產品需求的機會也就喪失了，豈不是太可惜了嗎？

敏捷夥伴迴響

66 a person who is still learning something

　一個系統性的做法，可以幫助你和你的客戶感受到方向以及進度。

　A systematic approach that will give you and the client a sense of progress and direction. 99

5 如何預估時程？

「大大的自我有小小的耳朵。」

Big egos have little ears.

——羅伯特‧舒樂博士 Dr. Robert Schuller

提出「能夢想，就能成就」，也是成功神學的倡導牧師。

> 怎麼樣都估不準，大概是軟體產業心頭永遠的痛。
>
> 上 CSM 的時候，有同學問 Scrum 可以讓時程估計（Estimation）變準確嗎？
>
> 講師 Bas Vodde 說：不行。

那在敏捷開發中，我們要如何處理預估呢？

估不準原因有很多，最根本的原因是軟體摸不得，看不到，不像蓋大樓或電視，可以做一些模型來確認。使用者只能在腦中想像軟體的流程，且只有在他真正用到軟體的剎那，才能決定這是不是他要的。

第一步，先認命並認清現實

所以第一步先接受，預估絕不可能準。

既然叫「預估」，就表示跟現實會有落差。如果我們團隊都估很準呢？每次說得到就做得完，這也有可能是團隊有意無意不願意挑戰的表現，如果估計跑一百公尺要一個小時，不管怎麼跑用滾的也可以達成。這種估計有意義嗎？

心態上接受預估不準有幾個好處：

其一，不會花太多時間估計，反正都不準，就憑直覺吧。別花時間去過度分析。

其二，不會拿估計不準來秋後算賬，連帶提高團隊的積極挑戰的態度。

第二步，把需求分解

這是縮小誤差最有效的方法。

要掃完全世界的廁所要多久？全台灣的廁所呢？全台北？整棟辦公室？拆解到有把握的程度，個別估計後再相加起來會是比較可信的數字。

第三步，利用估計充分溝通交換資訊

最好找有相關經驗的人參與估計，過去的經驗不但可以幫忙分解，還可以提供之前遇到的問題或解法，這都是非常珍貴的訊息。

如果沒有有經驗的人呢，那就摸著石頭過河吧。

從風險最高的部分開始實作，隨著時間不確定性會慢慢降低。資訊交換好後，千萬別花時間爭論要花多少時間。

總結一下敏捷中的估計：接受估不準，把需求分解到夠小，利用估計充分溝通交換資訊。

有人會説：那預估不準要怎麼簽合約呢？時程總不能亂押吧？理論上的回答是如〈敏捷宣言〉説的：「**與客戶合作重於合約協商**」。與顧客協商用包月Time and Material 的方式合作才是正解。

公司內部的客戶就比較好處理，關係打好，排出產品待辦清單，跟客戶和老闆有共識地按照順序做下來。

問對問題很重要，不要問客戶要做那些功能，要問客戶「哪一個功能現在對您最重要」。

然而，實務上在台灣很多甲方公司沒辦法接受這種合約，但在全球軟體外包產業中，印度和東歐很多軟體開發公司都是跑包月制，顯示世界上很多甲方都認知到白紙黑字不會產出好的產品這件事。

敏捷夥伴迴響

> Charles　　private company employee
>
> 敏捷管理教我一個新的概念，也就是一件工作可以拆分成小件的工作，然後按照優先順序協同來進行，因此重要工作可以更快完成。
>
> Agile Management taught me a new mindset that a task can be divided into smaller parts based on priority and be accomplished collectively. Hence task completion is faster.

6　一個短衝階段的工作量到底要多少？

記得那年有幸參加 Gerald Weinberg 和 Esther Derby 的 Problem Solving Leadership（PSL）工作坊。

第二天團隊活動結束後的 Retro，有一個夥伴出來分享，他說他很自責，因為他知道正確答案，但沒能說服團隊依照他的方案走，所以後來團隊失敗了。

我記得當時 Gerald 這麼回答：「You are not treating others as adults, you don't believe they can make decision by themselves.（您沒有把其他人當成年人看，您不相信他們可以自己做決定。）」

我當場有當頭棒喝的感覺，因為太多時候我做了相同的事情——認為沒安排好事情就會出錯，把其他人當作不成熟的個體。但沒到最後，怎麼知道我的做法就一定是最適合的呢？

因此，要相信團隊夥伴是成年人，提供給他們需要的資訊、工具、資源，相信他們會嘗試做最好的決定，然後在旁照看他們需要時給予協助，這才是最重要的。

所以一個短衝要「排」（其實是用「承諾 Commit」這字好一點）多少工作量，我覺得都行，重點是團隊考慮過現有資訊和其他人的意見，決定這是對產品最好的對策就好。

如果下禮拜完成剛剛好可以趕上正紅的潮流，要承諾多少？

如果這禮拜某一個夥伴的家人住院需要照顧，要承諾多少？

如果我們想重構（Refactor）一個最近一直出錯的複雜模組，要承諾多少？

※以下補充 Gerald 的完整回答：

Q 如果您看到事情不對而且自責怎麼辦？

　　1.您沒有把其他人當成年人看，您不相信他們可以自己做決定。

　　2.找一個可能認同您的人，獲得社會支持。

　　3.如果連一個人您都沒辦法說服，也許您是錯的，或者您身處在錯的團體。

　　4.改變您的目標，從「讓人聽您講話」，變為「聽彼此講話」。

Q What if you see things go wrong and blame yourself？

　　1.You are not treating others as adults, you don't believe they can make decision by themselves.

　　2.Find one person who may be agree with you, gain social support.

　　3.If you can't convince even one person, maybe you are wrong, or you are in the wrong group.

　　4.Change goal from let people listen to you, to listen to each other.

敏捷夥伴迴響

> Allan Tan　喝酒的狼
>
> 喝幾杯才會醉？喝完第一個 sprint 你就知道了；還不知？再喝多幾個 sprint 吧！

7　Scrum 團隊裡每個人做的事都一樣，不是很無趣嗎？

Scrum 裡每個人做事都一樣嗎？

這問題可以由三個問題來回答：

▶▶ 第一：Scrum 中對團隊能力的要求是什麼？

為了能減少半成品（WIP）和交接時所造成的浪費，Scrum 對團隊要求是可以端到端（End to End）地完成工作。端到端的定義，我個人解讀是對客戶來說，不需要找另一個團隊。

以下的回應都是團隊還沒具備完全端到端能力的跡象：

「我們還在等OO給我們。」OO可以帶入設計、美工、系統分析、資料庫等等。

「OO還沒審核完成。」OO可以帶入主管、架構等等。

當然現實中要完完全全端到端的難度很高，但盡可能端到端的工作最大化，能減少很多時間上的浪費。

換句話說，Scrum 只要求團隊一起完成一件事，沒有要每個人做的事都一樣。

第二：Scrum 中對個人能力的要求是什麼？

在 Scrum 裡，為不讓工作量集中在固定成員身上造成負荷過重或瓶頸，因此期待成員都是通用型專才（Generalizing Specialist）。不像通才（Generalist）沒有相較於其他成員比較精通的領域，或是專才（Specialist）只專注在自己擅長的領域。

換句話說，通用型專才有以下特點：

> （1）對團隊所做工作有從頭到尾的認識了解（全面廣度夠）
>
> （2）對有一個以上的領域有專門研究而且可以教導其他人（部分深度夠）
>
> （3）對自己不熟的領域，願意學習和嘗試

簡單說，Scrum 要求要有自己的專長，並在需要時互相協助，沒有要求每個人做的事都一樣。

第三：現實生活中事情有可能都一樣嗎？

現實生活中，就算每個人動作都一模一樣，因為經驗、用心度，而出來的事情結果絕對不一樣。

回到問題本身：Scrum Team 裡面每個人做的事都一樣，那不是很無趣嗎？

的確，什麼都一樣，是很無趣的事情。

但 Scrum 只要求團隊一起完成一件事，要求要有自己的專長，而且因為經驗、用心度，而出來的事情結果絕對不一樣。

Scrum 沒有要每個人做的事都一樣。

Scrum 沒有要每個人做的事都一樣。

Scrum 沒有要每個人做的事都一樣。

（很重要所以說三遍！）

大家一起完成目標，每個人貢獻所長，願意嘗試不熟悉的領域，互相學習，聽起來比單打獨鬥有趣多了，是吧？

敏捷夥伴迴響

❝ Lara　the flourishing vine

給想要找到有效完成自己工作與專案的人，本書是一本必讀的書。它提供了做法與方法，在提供資訊與原則的同時，也提供了現實生活的例子。

A must read book for people who are looking for approaches and techniques to effectively finish their work projects. It was so informative because aside from the principles, it contains true to life stories. ❞

8 | 如何避免重工？

Scrum 裡如何避免重工浪費？

這問題一樣可以由三個問題來回答：

第一：搞清楚誰是負責人

搞清楚誰是負責人，利害關係人的意見可以參考，但最後拍板決定的是負責人。認對負責人上天堂，認錯負責人住地獄。

第二：要求舉些實際例子

要求舉些實際例子，讓顧客期待的工作結果可以更具體，可以當做驗收條件，也就是「實例化需求」（Specification By Example，SBE）。

第三：溝通用字盡量精確

什麼是大？什麼是小？比如紙的大小可以說 A4、A5，或可以直接說使用的字體。

用精確的名詞和單位是專業的體現。

9 | 我們的 Scrum 團隊覺得每個短衝都一樣怎麼辦？

雖然工作內容不同，但是都在開一樣的會，工作模式都一樣，而且自省會議（Retrospective meeting）也想不到有什麼可以聊， Scrum 跑著跑著，大家慢慢開始察覺不到有什麼可以改善。

改變和改善都需要時間，經過不同事件、經驗、刺激、感受的累積才能覺察更多關於目前的情況，而且有時是需要刻意引發，刻意執行改變的。

很多大的改變，影響深遠的改變，是從小的改變動手開始做，開始嘗試，才慢慢醞釀而成的。在經歷了許多小步的改變之後，或許可以試著回顧自己心態的轉變，以及團隊外的人給團隊的觀察和評價，比較和之前的狀態有什麼不一樣之後，也許能找到新的方向。

團隊只要有想要持續改善的心態，都有辦法找出改善的方向。

或許也可以安排一個團隊外的人（例如不同部門、不同團隊）以新的觀點來看團隊的工作、或是在團隊中刻意引入一些新的做事方式、累積一些小的改變等，都能幫助團隊在日後決定重大的改變。

敏捷夥伴迴響

66 Alex Liu　人生體驗家

　　適者生存，擁抱改變，經過每個迭代去調整自己的狀態，以變應對萬變，找到最適合的方法，最重要的是有顆開放的心。你能接受改變嗎？敏捷就像喝水一樣簡單，當你想要時，就像打開瓶蓋一樣簡單，打開自己的心胸，檢視上一個迭代；喝一口水這樣的自然，擁抱改變，適者生存，怎麼樣生存由你選擇，而我選擇敏捷。

99

10　自省會議的必要性是？

舉例來說：我們在鏡子中所看到的並不是當下，而是之前的自己所在鏡子上的反射。換句話說，我們在鏡子中看到的都是過去。為什麼說看到的是過去，而不是現在？因為儘管光線是以光速在進行，但光線開始反射（過去），和看到自己的影像（當下）之間還是會有時間差。

時間是單向的，我們會不斷地走向未來，而且無法回到過去。所以我們必須要接受過去無法被改變的這個事實，因為事情已經發生了，我們可以影響的，只有未來的走向。

雖然我們看到的是過去，但也可以依此改變未來，不同的決定和行為，也就會帶來不同發展的可能性。而自省就是回顧當初發生的事情經過，探討利弊得失，想想如果下次會如何做。

經過自省（或稱反思），我們就可以提升思維的廣度和深度，推估未來可能會如何演變，從中選擇自己想要的未來，並經由當下的決定，做出行為來嘗試影響未來的走向。

如果我們不去影響未來的走向，事情大都會按照目前的模式在進行，代表相同的問題會不斷地發生，當遇到的問題都一樣而且解決不了，也表示我們自己並沒有進步。

敏捷追求的就是不斷地進步，持續改善，這需要經常反思自省。而讓團隊可以反思自省的一個機會，就是反思會議（Retrospective meeting）。

所以如果沒有開反思會議，就不要說自己在跑敏捷啦。

「把反思會議開好，您就可以改變未來。」

敏捷夥伴迴響

> **黃信惠　Molly Huang　舒心療癒創辦人**
> 　　透過別人的回饋、反應看見自己真實的感受，接納自己的短處，整合團隊力量，並讓自己的心念重新回到共同目標，這無論是面對團隊或客戶，敏捷都是能將力量最大化的武器！

11 自動自發有其必要性嗎？

「您們找的人是不是都要自動自發，加上自主性高？」聽朋友問到時，我愣了一下，因為「自動自發」這幾個字已經很久沒有出現在我的篩選要件中了。

因為這幾年，我發現自動自發並不是個人的特質，而在於所處環境有沒有鼓勵甚至允許自動自發的行為。

做的事是自己喜歡的事，每個人都會想把事情做好。

因此使用敏捷的魔力之一，就是自發性的行為不斷在發生。

反而我覺得現在最大的挑戰，會是開放的心態：可以包容彼此不同、虛心接受別人建議、正視自己的不足、接受自己的想法被拒絕。

開放的心態是個人性格特質，還是可被鼓勵的行為？我也還在找答案中。

工作沒人想做怎麼辦？
—— Scrum 中的工作分派與分工

敏捷夥伴迴響

> **The Dark Knight**
>
> 2012 加入 Titansoft，跑了兩年的 waterfall 。
>
> 2014 年到台灣，開始體驗敏捷，有幾次我覺得我懂它了，喜歡現在跟敏捷的關係，在懵懵懂懂間去了解它、體會它。

12 要怎麼提高團隊意識？

團隊意識要怎樣提高？我覺得是團隊之間需要有共同的語言。

字彙是知識的載體，如果我們團隊使用同樣的字彙來溝通，並且對字彙的認知相似，那我們的討論就可以建立在足夠強的基礎上，否則就是各唱各的調。

舉例來說，在我前東家推導最順利的共同字彙之一是「事故優先級」。

我們以影響度（Impact）和急迫性（Urgency）的二維矩陣來決定事故的優先級。

如下圖所示：

影響度＼急迫性	急	高	中	低
廣泛	優先級1	優先級2	優先級2	優先級3
重要	優先級2	優先級2	優先級3	優先級4
中等	優先級2	優先級3	優先級4	優先級4
次要	優先級3	優先級4	優先級4	優先級4

高度影響和高度急迫是優先級 1（又稱 Ticket Priority 1，簡稱 TP1）。中度影響、高度急迫，或是高度影響、中度急迫，就是優先級 2（TP2）。

依此類推，TP3、TP4、TP5 的優先級越來越低。

而 TP0 就是天上掉下來的超級大事。

優先級會決定處理事故所投入的資源和反應的時間，比方說設定 TP2 以上會列入插件由團隊立即處理，而 TP2 以下則排到產品待辦清單在後續的短衝處理。

TP1 三十分鐘未排除需升級到相關主管介入，TP0 則是十分鐘未排除就會升級到相關主管介入。

儘管有規定主管介入的時間點，但其實在事故單開立的同時，依據優先級相關的人員都會接收到事故的訊息和更新狀態。而且事故單開立的指導原則是只可以高報不可以低報。

回到當初如何建立這個共同字彙，除了基礎的宣導外，所有的夥伴對事故的重視程度也扮演了關鍵的角色。

如當 TP0 或 TP1 發生時，不管幾點，所有的相關團隊、產品負責人、主管，從上到下都需要立刻準備面對。

會被影響的人多了，自然關注的人就多了。

敏捷夥伴迴響

> **吳宜軒　Angel　Seedling**
>
> 　　感謝在鈦坦的時光，讓我相信真正有鯰魚和同伴並存的環境，感謝敏捷，焚毀了職場螺絲釘文化的劣根性，反思、成長、躍進的烈焰取而代之。此星火燎原，非禍。

13 要怎麼增加個人在公司的影響力？

我的答案是：增加信用分數。

具體的做法是：

> 1.顧好本分
>
> 2.有雞婆的心態
>
> 3.有雞婆的能力

比如現實生活中，每個人在其他人眼中都會有一個信用分數——而這個信用分數是建立在「我說的話與我做的事情是否相符」。如果相符或超過，就加分；反之就扣分，而且扣分容易加分難。

在公司內，最重要的是自己的職責和別人期待的是否相符合，如果做到，基本分數就拿到了。如果自己的本分都沒做好，講再多別人也只會覺得您多管閒事。但要有影響力，光做到自己的職責還遠遠不夠，能幫助別人或其他部門解決問題才能大幅加分。

要幫別人解決問題，就要有雞婆的心態和能力。先從心態來談，如果認為萬事事不關己，那就沒什麼後續了。所以心態是第一必要的，心態上要保持著：只要是對公司整體有影響的事，就是我的事。

有雞婆心態才能談雞婆的能力。什麼是雞婆的能力？是否知道什麼事情自己幫得到，什麼事情自己幫不到？是否知道什麼事情容易幫，什麼事情不容易

幫？是否知道怎麼樣可以最小的改變達到最大的效果？是否認清功勞是屬於其他人，自己只是協助的角色？

信用是慢慢累加的，影響力也是。

敏捷夥伴迴響

❝ Hsin Ke　角落生物

自我不斷成長與省思解惑的歷程，並在學習中獲得滿滿幸福感。

❞

要改善缺點？還是加強優點？

管理上寧可浪漫，不要浪費。

所以不論是改善缺點或加強優點都對，也都不對；因為取決於我們在處理的地方是不是瓶頸，是不是阻礙公司成長進步的關鍵。

在任何時間點，組織成長的瓶頸都有而且只會有一個，而投入在瓶頸以外的時間和資源，並無法有效幫助組織成長。

而改善系統聚焦有五步驟：

 定義出系統的限制（Identify the System's Constraints）

 決定如何充分利用限制（Decide How to Exploit the System's Constraints）

 依上述決定，讓非限制資源充分配合（Subordinate Everything Else to the Above Decision）

 打破系統限制（Elevate the System's Constraints）

 若限制已打破，回到第一步驟

結論：推行敏捷的阻礙

1.現在好好的，為什麼要改變？

2.團隊不知道如何建立信任

3.對敏捷的導入沒有共識

4.（主管）的引導技巧不夠

5.團隊溝通不夠有效

6.高層的信任和支持不夠

7.傳統的績效管理不適用

8.不知道如何用 Agile 處理（範圍時程）硬梆梆的專案

9.工程和領域的技能不夠

10.（因資源有限）角色重疊混淆

11.（不知道如何）讓團隊成員感受到結果的價值

12.缺乏跨界交流的機會

　　第 12 項是在 CC Agile #48 開放空間會議：「組織導入敏捷的困境、機會、挑戰與疑惑」中的產出，我看這項與其他群組沒有重複就自作主張加上來了。工作坊過程已經有夥伴仔細的分享，如 MaoYang 分享的趨勢科技團隊共創法活動體驗，和 David 的當敏捷遇上引導：在領導團隊變革遭遇什麼困難。

移除「缺乏」，讓命名更貼近核心

在 ICA 的課程中學到，如果阻礙是含有「缺乏」的字眼，如不夠、太少等，代表這只是表象或症狀，需要花些時間去挖掘更深層的造成原因。

所以我嘗試以我的觀點再往深入去發掘，讓字面上沒有「缺乏」的字眼。如同以下：

1.現在好好的，為什麼要改變？

2.團隊不知道如何建立信任

3.對敏捷的導入沒有共識

4.（主管／Scrum Master）的引導技巧不夠→主管／Scrum Master 不知道如何有效引導

5.團隊溝通不夠有效→團隊不知道如何有效的溝通

6.高層的信任和支持不夠→高層不認為改變有價值

7.傳統的績效管理不適用

8.不知道如何用 Agile 處理（範圍時程）硬梆梆的專案

9.工程和領域的技能不夠→技能沒有跟上改變的速度

10.（因資源有限）角色重疊混淆

11.（不知道如何）讓 member 感受到結果的價值

12.缺乏跨界交流的機會→認為跨界交流有價值

我非常主觀的把這 12 項分成三個大類：人員或組織的慣性、人員沒有能力或知識，以及主事者的重視程度。

人員或組織的慣性

1.現在好好的幹嘛改變

7.傳統的績效管理不適用

8.不知道如何用 Agile 處理（範圍時程）硬梆梆的專案

11.（不知道如何）讓 member 感受到結果的價值

12.不認為跨界交流有價值

人員沒有能力或知識

2.團隊不知道如何建立信任

3.對敏捷的導入沒有共識

4.主管／ScrumMaster 不知道如何有效引導

5.團隊不知道如何有效的溝通

9.技能沒有跟上改變的速度

主事者的重視程度

6.高層不認為改變有價值

10.（因資源有限）角色重疊混淆

首先，解決慣性的方法就是——一直動。

我感覺這是團隊最容易解決的，在《目標》這本書中提到的限制理論五步驟，第五步就是瓶頸解除後，找尋下一個瓶頸，從第一步再重頭開始。目的就是為了讓組織和人員不停留在原地，不休息，持續改變行為。當改變成為習慣，不改變反而是反慣性，這也是持續改善希望達成的效果。

以前的觀念是要人改變就要給甜頭，沒有錢、沒有權怎麼讓人改變呢？在《您的商業知識都是錯的：不懂思考，再努力也是做白工！》一書中的第七章，提到顛覆了許多傳統誘因的觀念，如提供獎勵反而讓複雜的工作做不好。其中也提到很多讓工作更有效的方法。只要看到自己的改變有正面的回饋，大多數人都會樂於去改變的。

可惜不管如何努力，還是有不適應的人會因組織變化而離開，也會帶走許多珍貴的營運知識和能力，所以組織面重要的課題是如何平衡日常營運與變革，控制前進的腳步，從走路、小碎步、健走，慢慢加速到需要的節奏。

再來，若是人員沒有能力或知識，那也很簡單——學！

如果主事者重視加上成員習慣改變，這其實是難度最低的，只要給資源學習，給空間運用，效果就會慢慢出來。相反的，沒有主事者重視或成員習慣於改變，第一沒有資源投入，第二投入資源也很難引發自發的行動，效果不大。

最後，主事者的重視程度跟政治生態有關係。

我覺得敏捷、文化改變、或長期才能見效的變革，蠻弔詭的是，權力越集中的組織越有可能大幅改變組織架構與資源投注，因為不需要考慮太多政治因素，也不需要短期做出成績，只要主事者有足夠的信心和夠大顆的心臟就好

了。

在一個權力分散的組織，反而不可能做大幅度的改變，因為組織的調整本來就是資源重新分配，各據山頭的既得利益者會阻礙變革。例如 Scrum 就沒有 Team Lead 的角色，那原本的 Team Lead 要如何安排呢？

所以組織扁平化，採用自組織模式（如 Holacracy，中文稱集體共治或合弄制），最大的好處是變革時的阻力最小，此外，主事者本身持續接觸新事物與學習也是非常重要。

學習型組織就是熟稔於變革的組織

上述的三個大類：人員或組織的慣性、人員沒有能力或知識、主事者的重視程度。我認為在各種方法的導入都會遇到，所以把「推行敏捷的阻礙」，換成「推行 UX 的阻礙」，或是「推行上廁所後馬桶沖乾淨的阻礙」，感覺產出都會差不多，因為都是在談一個根本性的問題，就是「如何讓組織變革」。

這時就可以講到，適合敏捷式組織的架構：全員參與制（Sociocracy）、認可決、雙連結。

開始跑敏捷後，會開始遇到一些跟傳統科層式組織格格不入的地方。科層式的組織架構的優點是中央決策，可以最大化命令與控制的力道。但在敏捷中強調的是讓第一線人員做出決策，傳統的組織就變成一個綁手綁腳的設計，所以如何讓組織架構成為產品開發的助力就是一個大問題。

當初第一個找到的其他組織模式是合弄制（Holacracy），為此，我也買了專門討論 Holacracy 的書——《無主管公司》——研究一下。

看完後的第一印象不好，主要有兩個原因，第一個原因是作者一直強調要用就要整套用，All or Nothing。換句話說，是要組織整體打掉重練。這跟我看情況挑戰、摸著石頭過河、小步快跑的哲學不合。

第二個原因是：太複雜也太嚴謹了。從營運、角色定義、每個人職權、到會議如何開都有規範，還一定要規範出來，跟敏捷大家不分彼此一起把事情搞定的原則違背（有興趣的朋友可以參考合弄制憲法）。

總之，我喜歡他的初衷，但設計不對胃口，於是就擱下來了。直到參加新加坡的敏捷年會，聽到 Jutta Eckstein 主講的 Sociocracy —— A means for true agile organizations。聽到興趣就來了，因為 Sociocracy（沒有正式中文翻譯，Wiki 上翻成全民政治，我偏好稱為全員參與制，簡稱全參制。）強調的是大原則，沒有制式的方法跑，給很大的彈性，可以進階的嘗試導入。

而且合弄制骨子裡根本就是全參制，把全參制的圈圈架構、會議、角色，加上自訂的專有名詞，再加上一堆規定，就成了合弄制。（說得誇張了點，合弄制還有加入一些蠻好的概念，比方說「張力（Tension）」等等。）

Chapter.7
選配裝備

如何讓敏捷旅程更加豐盛

引言

大詩人白居易出任杭州刺史時，聽說有一位高僧叫鳥窠禪師，他非常有名，整天睡在樹上搭的一個草窩裡，白居易非常想去拜訪這位鳥窠禪師。

有一天，白居易上山去探望這位禪師，白居易望著空中綁在樹上的草舍，很緊張地說：「禪師啊，你住在這裡很危險啊。」

這位禪師不屑一顧地說：「大人，我不危險，我看你倒是很危險。」

白居易說：「我深受皇帝的重用，鎮守江山，有什麼危險啊？」

鳥窠禪師說：「慾望之火燃燒，人生無常，貪得無厭，世界如同火宅，天天在火中煎熬，你陷入這種情勢之中，不能自拔，你怎能不危險啊？」

白居易一想：「是啊，我正是在京城被貶職到了杭州的。禪師，那我該怎麼做呢？」

鳥窠禪師說：「很簡單，諸惡莫作，眾善奉行。」

白居易說：「禪師，連三歲的孩子都懂這個。」

禪師說：「三歲孩兒雖能懂，八十老翁行不得。」

白居易聽了他的話之後，改變了態度。

其實跑敏捷也是這麼簡單，傷害團隊的事情，不做；對團隊有益的事情，做。

就是這麼簡單。

要如何才能讓團隊合作、增加團隊精神呢？這是很多成員、主管或 SM 都在煩惱的問題。

而團隊是一個有機體，會因為成員、環境的變化有非常不同的反應，所以要幫助團隊成長，需要了解基本經濟學、心理學或社會學的原理，以及掌握幫助團隊改變的技能如訓練、教練、和引導等等。

我在做工作滿意度調查時，總有一些蠻正面的回饋都是跟職涯發展相關，比如說：

> 1.我不清楚我的職涯規劃
> 2.我覺得我需要訓練
> 3.我需要有人來帶我

公司在導入敏捷開發跟 Scrum 後，內部對於誰應該負責職涯規劃曾有過一些討論。以前我們的方向是由主管規劃、排定計劃、規劃課程；而現在的改變是，每個人應該主動決定自己要什麼，並自己想辦法讓它發生。

做專案管理時，通常要找誰來負責這個專案呢？

我的原則是找這個專案成功後會被影響最深、或是受益最多的人。那回到職涯發展這個專案，是誰的責任？誰會被職涯發展的成果影響最大，而且受益最多呢？自己的職涯可能會影響公司三、五年，待久一點頂多十多年，但會影

響自己可是一輩子的。

所以職涯發展的負責人是誰？除了自己，還有誰能夠對我的人生負責呢？

這時有人會說，這不是公司的責任嗎？我的答案是，公司只是負責支援的角色；最多也只能讓大家知道「我不知道」的事情，其他的部分，需要自行努力了。

如果真的認清人生是自己負責的，那應該會在平時就追著要訓練、看書、參加社群，或是想辦法拿資源，而不會只是在滿意度調查時留幾行字，就期待它發生。

敏捷開發除了提供工作彈性，也對團隊成員的學習和改善意願有很高的要求，自己的職涯發展自己負責。

敏捷夥伴迴響

趙嘉儀　健身教練

工作綁定，思維不被鎖定。

2 敏捷平衡循環 Agile Balance Cycle（ABC-DE）

——平衡不是你找出來的，而是你創造出來的。
Balance is not something you find, it's something you create.
Jana Kingsford 勵志公眾演說家

中醫說：「通則不痛，痛則不通。」學習身心學（Somatics）之後，才瞭解其實痛肯定是不通，不痛倒不一定是通的，要靠我們對身體的感知和覺察看看是否有痠、麻、脹、疼、癢這些身體發出的訊號，讓我們提早因應，痛已經是比較嚴重的症狀了。

就如同名醫扁鵲的故事：

魏文王問扁鵲：「您們家兄弟三人，都精於醫術，誰是醫術最好的呢？」

扁鵲：「大哥最好，二哥差些，我是三人中最差的一個。」

魏王好奇問到：「怎麼說呢？」

扁鵲說：「大哥治病，是在病情發作之前，那時候病人自己還不覺得有病，但大哥就下藥劑除了病根，使他的醫術難以被人認可，所以沒有名氣，只是在我們家中知道他很厲害。我的二哥治病，是在病初起之時，症狀尚不十分明顯，病人也沒有覺得痛苦，二哥就能藥到病除，使鄉里人都認為二哥只是治小病很靈。我治病，都是在病情十分嚴重之時，病人痛苦萬分，病人家屬心急如焚。此時，他們看到我在經脈上穿刺，用針放血，或在患處敷毒、或動大手術直指病灶，使重病者的病情得到緩解或很快治癒，所以我名聞天下。」

魏文王大悟。

組織跟身體一樣，如果我們提升覺察力，就能在還是小問題的時候就處理掉，但如果放任到已經痛了才想解決才找顧問來開刀，對組織和成員來說都是很痛苦的過程。

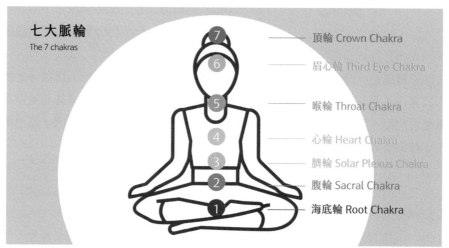

人體有所謂的脈輪或是經絡，並沒有什麼高低好壞的問題，而是看整體的平衡。我認為組織也是有經絡脈輪的，所以以過去的經驗，整理了一個「敏捷平衡循環 ABC」（Agile Balance Cycle）供大家參考，為自己的組織把脈一下，看看如何在平時就好好保養身體，不需要等到有問題再求醫。

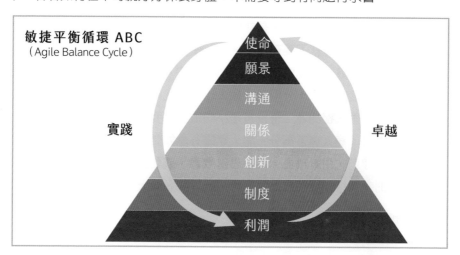

敏捷平衡循環ＡＢＣ的邏輯由上而下，從抽象到具體是這樣：我們依照「使命」共創「願景」後，透過有效的「溝通」，團隊「關係」會更緊密，夥伴就會更有勇氣「創新」突破框架，就能打造有效的「制度」來創造更多的「利潤」。以上是一個「實踐」的過程，有夢最美，依照使命創造價值。

　　敏捷平衡循環ＡＢＣ從下而上，從具體到抽象是這樣：因為有了足夠的「利潤」，所以有空閒的心力可以優化「制度」，有更多的空間可以承受風險支持「創新」，進而增加彼此的信任感讓「關係」提升，找出更有效的「溝通」模式，依照現狀逐步優化「願景」，並確認「使命」是否與我們所作的一致或是要修改。以上是一個「卓越」的過程，勿忘初心，因為有價值可以發揚使命。

　　每個層面的關鍵提問如下：

　　　　使命：我們的使命是什麼？
　　　　願景：我們如何達成使命？
　　　　溝通：如何取得工作所需要的資訊？
　　　　關係：團隊如何互相協助達成願景？
　　　　創新：成員做了哪些新的嘗試往願景推進？
　　　　制度：哪些制度正在幫助我們落實願景？
　　　　利潤：要如何賺取足夠的利潤？

　　ＡＢＣ架構是這樣，接下來就需要自行評估，我們組織當下的瓶頸是在哪一個層面，然後找出對策。值得一提的是，跟身體一樣，頭重腳輕或是頭輕腳重都不健康，需要的是一個平衡。敏捷平衡循環 ABC 也是，使命感過高就是頭重腳輕，過度看重收益就是頭輕腳重，也是要取得一個平衡。

如何保持平衡？		
	不足如何提升（虛）	過多如何降低（實）
使命	探尋渴望	注重獲利
願景	策略規劃	多元化
溝通	透明化	制度化
關係	自主管理	中心化
創新	持續學習	分散風險
制度	標準流程	分層授權
利潤	顧客導向	回歸使命

而本書提供的方法，依據我自身經驗對組織的影響，勾寫出影響力比較大的部分，提供大家參考，可以依據目前所需要改善的層面，選擇合適的方法：

除了敏捷平衡循環ＡＢＣ以外，我認為還有兩個對企業敏捷化影響比較大的部分，也會影響到每一個層面，分別是決策（Decision Making，以 D 代表）和實驗（Experiment，以 E 代表），整合 ABC 就成為 ABC-DE，是不是很容易記起來呢？

D 也就是決策的部分，考量點是決策前大家的聲音有沒有被聽見？決策後大家投入度如何？這部分除了引導技巧影響很大，決策方式也很重要：用傳統的老闆說了算的主管決，成員的投入度很低；用大家最喜歡的投票決，會造成有輸有贏的團體撕裂；用看起來很完美的共識決，則會有曠日費時決策太慢的問題。

大部分的情況下，我更推薦使用認可決（Consent），問問成員對這個提案有沒有反對意見？反對的原因是什麼？看到什麼風險？根據反對意見調整提案，沒有重大反對意見就決定往下落實，之後再定期回顧調整決策。我覺得認可決平衡了決策效率與成員投入度，讓事情可以推進，同時大家又有參與感。

	Scrum	看板	引導	教練	薩提爾	精實	專案管理PMP	使用者體驗UX	極限編程XP
使命			V	V	V				
願景			V			V	V		
溝通		V	V	V	V				V
關係	V	V	V	V	V				
創新	V							V	
制度	V						V		V
利潤						V		V	

工具與企業整體 ABC 的關係

很多人看到全員參與制就以為公司每個人對每個決策都可以參與，這是錯誤的認知，在全員參與制中，除了從上到下的部門指派一位團隊領導到團隊，團隊則用認可決選派一位代表，往上參與部門的決策。所以每個層級參與決策的人數還是少的，我認為超過 10 個人參與的決策就會失能，請參考帕金森定律（Parkinson's law）：在工作能夠完成的時限內，工作量會一直增加，直到所有可用時間都被填充為止。委員會人數越多，決策就越無效，而且會針對雞毛蒜皮的事情花很多時間，因為大家都切身相關的就只有這些小事情，大的專案因有專人最清楚反而大家無感。

E 實驗的部分，關注在我們是否有把大專案或嘗試拆分成小的專案，用小的專案來測試我們的假設或驗證對市場的想象。避免一次投入太多的資源和心力，把每一個專案都當成是 個實驗，我們期待在這個實驗中獲得什麼樣的結論或發現呢？

因為投入的資源和心力小，對組織的壓力就不會那麼大，也更可以容許失敗或是錯誤的發生，很多科學上重大的發現，都是誤打誤撞之下的結果：男性聖物威而鋼，本來是為了治療心臟病；發現盤尼西林是因為忘了幫培養皿蓋蓋子；微波爐的發明起因於口袋中的巧克力被融化。科學發展了幾百年，但科學

的初衷是為了更好地探索世界，近代反而成為考試的標準答案，演變成人類理解世界的限制，想必這是科學先驅們所不樂見的結果吧。

　　從敏捷平衡循環 ABC (Agile Balance Cycle) 加上 D (決策 Decision Making) 與 E (實驗 Experiment)，運用這個 ABC-DE 模型來分析診斷您的組織，對症下藥，甚至能在疾病尚未發作前就提早預防，來幫助您的組織更健康、更敏捷。

敏捷夥伴迴響

陳吉國 Bell　專打 Support 的工程師

　　不熟悉的讓你一探究竟，想嘗試的讓你借篷使風，迷惘中的讓你回歸初衷。

3 管理定律：領導者不可不知的五大定律

> 企業管理過去是溝通，現在是溝通，未來還是溝通。
> ——松下幸之助，日本經營之神

在〈每個程式設計師都該知道的五大定律〉這篇文章中有到五個定律，我認為其中不論是對於開發或者系統組織而言，都非常有幫助：

1. 墨菲定律 Murphy's law
2. 高德納定律 Knuth's law
3. 諾斯定律 North's law
4. 康威定律 Conway's law
5. 帕金森瑣事定律 Parkinson's law of triviality

墨菲定律 Murphy's law

「只要有可能出錯，就一定會出錯。」
Anything that can go wrong will go wrong.

系統性問題要用備源、防呆、容錯、再確認等等機制處理。

舉例：從 815 大停電談「系統的崩壞」

> 「在時機未到時優化是萬惡之源。」
> Premature optimization is the root of all evil.

浪費就是罪惡。

根據 TOC 限制理論，任何時候都只會有一個瓶頸在限制組織或個人的成長，所以只要專注於找出目前的瓶頸並改善瓶頸的產能就夠了，不需要在非瓶頸的地方投入資源改善——因為對整體產出價值不但沒有幫助，還浪費了投入的時間和心力。

舉例：8張圖帶您看高鐵三新站中，為何彰化站人潮比雲林和苗栗站少

> 「每一個決定都是一次取捨。」
> Every decision is a trade off.

俗話說：「天下沒有白吃的午餐。」任何事情都有好有壞，想要獲得就要有所犧牲，不論是系統設計或人生，都是如此。

舉個例子，有個政治人物曾說：「您要一例一休，就永遠成不了大人物！」

「一個組織的系統設計，會反映出組織本身的溝通結構。」
Organizations which design systems……are constrained to produce designs which are copies of the communication structures of these organizations.

簡單來說，就是從產品和服務呈現的狀態，可以推測出一個公司內部的溝通情況，甚至是組織架構。所以改變組織架構或增加溝通渠道，都可以改變產品或服務的走向。

以政府來說好了，大多機關提供的服務，只要是跨部門，就容易有斷層這件事，這也可以判斷出政府溝通是缺乏橫向鏈結的，甚至在組織架構的設計思維，便是刻意讓部門互相制衡。

舉例：獨木舟不合法？業者：政府踢皮球

「組織成員會投入不成比例的心力在瑣事上。」
Members of an organisation give disproportionate weight to trivial issues.

做瑣事簡單又容易看到效果，還可以讓自己看起來很忙；反而重大的事情，要做好就必須投入很多時間、心力去研究和準備，此外還要忍受過程中看不到立即成效的失落感。

80／20 法則說明：只要專注於百分之二十能帶來最大價值的工作，因此要選擇戰場，不做低價值的工作。

這五大定律只是概念，因此我整理了一些學習資源，可以讓人更具體的了解關於敏捷的資源取得。

敏捷夥伴迴響

> **關明強 MK** 老員工編號零零三
>
> 敏捷管理就是讓每個員工成為會捉老鼠的貓。
>
> 如何能做到呢？ 買下這本書，讓你老闆看就可以了喲。

團體動力：打造理想團隊的必修功課

沒有人，包含我自己，可以做到偉大的事情。

但我們每個人都可以做些小事，懷抱著偉大的愛，

一起協力之下我們可以做出美妙的事情。

None of us, including me, ever do great things. But we can all do small

things, with great love, and together we can do something wonderful.

——泰瑞莎修女 Mother Teresa，諾貝爾和平獎得主

引導乍看之下是一門很抽象的學問，好像很不容易理解，但其實既然團體是由人所組成的，只要觀察人的行為就可以推測團體運行的情況，而研究團體運行情況的學問，就是團體動力學（Group Dynamics）。瞭解團體動力學不只對引導有幫助，在制度和政策設計，甚至是空間規劃，到最常見的開會，有團體動力學的協助都會如虎添翼。由於團體動力學所包含的學科有許多，如心理學與社會學，在這邊我們就只針對常見有用的模型討論。

以下我會分別針對：Google 高效團隊的五個共同點、團隊發展的五大階段（The Five Stages of Team Development）、團隊領導的五大障礙（The Five Dysfunctions of a Team）、CDE 模型，這幾個我覺得在實務上最有幫助的模型來討論。

Google 高效團隊的五個共同點

先來談談 Google 在 2015 年對內部 180 個以上的團隊所做的調查，他們想要分析出高效團隊所具有的共通特徵有哪些，最後得出了高效團隊有五個共同點，重要性從高到底分別是：

a　心理安全感（Psychological safety）
團隊成員對冒險感到安全，並且在彼此面前展現脆弱的一面。

　　領導者是否願意保持開放的態度傾聽，理解成員所遇到的困難和挑戰，當問題發生時候先處理情緒再解決問題，還有有效的引導技巧讓大家把心中的話說出來，都可以幫助到心理安全感的建立，這也是影響力最高的一個關鍵。

b　可靠度（Dependability）
團隊成員可以準時交付任務，工作成果符合期待。

　　可靠度則可以運用看板把工作情況透明化，讓彼此瞭解工作的進度和需要的時候可以尋求協助。開會的時候由成員自行提出預期成果和解決方案，是一個確認需求的方式，幫助校準，減少重工的發生。

c　架構與清晰度（Structure & clarity）
團隊成員瞭解彼此的角色和專長，也知道團隊的計劃和目標。

　　定期的目標設定和檢視，目標要符合 SMART 原則：S = 結果具體可見（Specific）、M = 結果可量測（Measurable）、A = 合理可達成（Attainable）、R = 和工作有關聯性（Relevant）、T = 達成時間（Time-based）。團隊私下的關係也會幫助瞭解彼此更多的優勢和特質，進而協助提高團隊的默契。

d　工作的意義（Meaning of work）
對團隊成員來說工作對個人是有意義的。

e 工作的影響（Impact of work）
團隊成員認爲工作很重要而且可以創造改變。

　　後兩者我想一起討論，因爲我覺得區分沒有太大意義。就我的經驗，能自由地提出想法，想法有被慎重地考量，就會對工作產生投入感。看到自己的工作對團隊目標的影響，也能產生主人翁意識（Ownership）。我想要提醒這兩點所造成的影響，並沒有前三點高，這也是此研究最有價值的地方，心理安全感的高低對知識型態的工作團隊影響很大。

心理安全
1
我們能不能在這個團隊放下顧慮，
而不會感到不安或尷尬？

可靠性
2
我們能不能依靠隊員按時完成一份高
品質的工作？

結構＆清晰度
3
我們團隊的目標、角色以及執行計劃
清楚嗎？

工作的意義
4
我們所做的工作對我們個人重要嗎？

工作的影響
5
我們真心相信我們正在做的這項工作
有意義嗎？

這個模型著重的是時間對團隊表現的影響，在團隊組成後，隨著時間的推進，團隊在效能上的變化會分成五個階段：形成期（Forming）、風暴期（Storming）、規範期（Norming）、表現期（Performing）、解散期（Adjourning）。

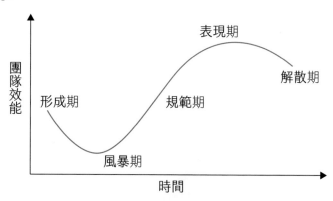

團隊一開始在形成期都會很有禮貌，顧慮彼此的感受，從而表現出最好的一面，所以這個時候的效能還算不錯，就如同剛剛交往的時候總是最美。但隨著彼此的認識增加，摩擦和不滿也會累積，這時就進入了風暴期，風暴期的效能是最低的。光看這張圖會有一個錯覺，就是風暴期之後一定會進入規範期，但其實不一定，如果團隊無法從風暴期走出來，效能會一直在低點。如果經由磨合或是有效的引導，團隊建立了默契和信任，效能就會提升轉變到規範期，如果隨著時間能力有持續增加，就可以進入表現期，這也是團隊效能最高的時期。儘管如此，天下無不散的宴席，如果工作內容沒有改變，團隊成員會產生倦怠感、效能會降低，這時候就是轉換期。

對領導者和團隊的考驗，就在於每次團隊成員的改變，比如人的離開或加入，都會讓團隊從新回到形成期，進入風暴期。所以迎新的重要性不是只是個形式，而是如何快速讓新人瞭解團隊既有的模式和文化，團隊成員可以包容和

知道如何提升新人的表現，只是吃飯是沒有辦法建立信任的。而最終的轉換期的處理方式，則是著重在於如何讓團隊在工作上持續保持新鮮感，不論是人員的調換輪派，或是工作內容的轉換、工作能力的提升等等。

團隊領導的五大障礙 The Five Dysfunctions of a Team

書中提到團隊建立的五大關鍵因素，從最基礎的建立信任、面對衝突、願意承諾、勇於當責、到最終的關注成果。我認為透過在會議上有效地引導，至少可以幫助團隊前三項關鍵因素的成長，也就是建立信任、面對衝突、願意承諾。值得一提的是，這五大障礙是有先後順序關係的，一定要先從前面也就是最基礎的慢慢開始建立，比如說如果缺乏信任但勇於面對衝突，就會流於彼此的爭吵指責，對團隊的成長幫助不大。

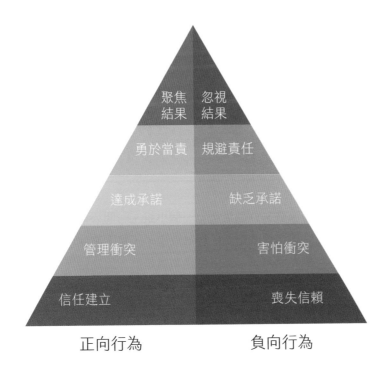

聚焦結果	忽視結果
勇於當責	規避責任
達成承諾	缺乏承諾
管理衝突	害怕衝突
信任建立	喪失信賴

正向行為　　負向行為

因為這個模型有出書了，所以這邊就不解釋太多，有興趣的朋友可以參考《克服團隊領導的 5 大障礙：洞悉人性、解決衝突的白金法則》一書，用淺白簡短的故事，來說明如何一一克服這五大障礙。

CDE 模型

CDE 模型是由人類系統動態學院（Human Systems Dynamics Institute，簡稱 HSD 學院）所提出來的一個模型，我很喜歡這個模型，因為只要觀察三個面向就可以概括人類系統動態，這三個面向各有其代表，分別是 C 代表容器（Container）、D 代表差異（Difference）、E 代表交流（Exchange）。

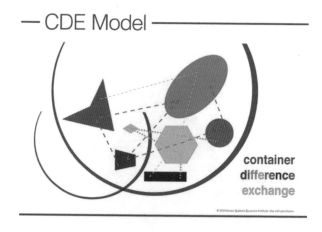

容器可以是一個家庭、一個班級、一個小組、一間公司、甚至一個國家，我們第一步就是先定義容器的範圍。容器確定了，接下來就可以觀察這個容器中的人們，差異性是高還是低，交流度是高還是低，因為過高或過低都無法讓人們的動態最佳化，所以需要做相對應的調整。

差異性指的是影響決策最大的那個分歧點，可能是對工作的期待差異太大，如果差異太大的處理方式可能包含增加對話，找出共同的目標，更換人員

等等。差異太小也不好，容易造成同溫層小圈圈決策，做出的決策跟真實世界能接受的差太多，這時候可以調整的方式包含增加成員的多元性，提出挑戰，確認彼此的共同目標是否一致等等。

交流度可以包含資訊、能力或是任何的資源的交換。在會議中的交流少，可以應用引導的小技巧，創作更多對話和交流，如果交流太多，也可以用引導的方式收斂出結果，或是先休息大家冷靜一下。

善用技巧改變容器內的差異性或是交流度，就可以影響團體動力的走向。

敏捷夥伴迴響

> 蔡梅萍　Connie Tsai　教練與引導師
>
> 　我認為領導者最重要的任務之一就是護持場域，我的工作有一部分是作為品牌顧問，在第一次拜訪客戶時，我會觀察他們是怎麼引領我走到會議室的，從接待人員的口氣，有些是冷冰冰地通報後要我等待，有時甚至連一張椅子也沒有；有些則是親切問候我，並告訴我需要等待多久，當我被引領到會議的空間時，某些辦公空間帶有大宅門的感覺，一層又一層，深不可測；某些辦公室則像是股市交易所，像是機械不停運轉著；有的像是美術館的寂靜，莊嚴到甚至感受不到人氣；在鈦坦公司我看到一種青春校園且是無校長狀態，可以聽到人聲卻不覺得吵鬧，和諧中又帶點衝突的感受！我曾問過幾個員工：「你進來就是這樣的人嗎？」我想著這家公司該不會都是找同類的人吧！這樣挺好管理的，但是員工笑說：「不是的，進來後需要習慣一陣子。」我接著問：「那你是從地獄來到天堂？還是天堂來到地獄？」他們說：「都需要適應。」Yves 書中曾

提到「如果你只信得過有血緣關係的自己人，千萬別説一視同仁。」這對某些領導者喜歡組建自己的班底，無疑是當頭棒喝！

鈦坦實踐敏捷文化已經十年了，看到首位領導者 Yves 到現任總經理 Tomas 一直細心護持這個場域，已然開花結果，且成為科技軟體業的典範，他們的員工也成為這個場域的護持者，所以這股力量才能延續至今。在閱讀本書後，了解這一切來得並不容易，Yves 在擔任領導者時，曾經歷過懷疑、動搖、面對、克服、重來等等過程，最後親身證明了「敏捷在組織內是可行的，它不是烏托邦！」Yves 在書中坦誠分享過往的心路歷程，點到很多領導者心中的痛與疑慮，同時也顯化了打造一個敏捷組織的前行石頭，這本書將可成為想實踐敏捷的領導者的葵花寶典。 "

5 引導技巧：推動團隊往前邁進的不二法門

> ——沒有人比我們全體更聰明。
> None of us is as smart as all of us.
> 肯尼斯‧布蘭查德　Kenneth Blanchard
> 當代管理大師，情境領導理論共同創始人

引導的技能是在探討如何利用群體的智慧產生 1 + 1 ＞ 2 的效果，讓開會和討論更有價值。而如何幫助團隊成長，我覺得最重要的工具就是引導（Facilitation），在 Scrum 架構中，也主張引導是 SM 的職責之一。

引導是這麼重要的技能，但在台灣知道的人不多，其實在許多的跨國公司比如星展銀行，公司內部還會有多位專職的引導師幫助各個部門會議的舉行。

然而引導這兩個字可能會讓人誤會是心中有一個方向，然後「引誘加誤導」大家往這個方向去。就如同有十多年引導經驗，ICA 認證的資深引導師林思玲（Frieda Lin）所說，引導的英文本意是「使容易」，所以引導師是幫助團隊一起「容易」地找出目標和方向，而不是讓大家往引導師心中的方向走。

在我接觸並開始學習引導後，我發現會議開起來更有效，自己的工作壓力更小，團隊的投入程度提高，就像是施了魔法一般。

鈦坦科技也在年度會議中，多次邀請費樂理（Lawrence Philbrook，Larry）和林思玲（Frieda Lin）引導師協助引導，匯集了全部鈦坦夥伴的智慧，產生新的年度計畫，也在 2017 的年度會議產生新的願景使命和價值觀。蔡梅萍（Connie Tsai）引導師與我合作客戶的年度會議引導，也取得了很正面的迴響。

引導有許多的工具和方法，比如說唐鳳提過的焦點討論法 ORID，團隊共創法，善用便利貼與白板把每個人的想法視覺化，以 3 ～ 50 人的小組討論再跟大團隊分享結果，大家輪流發言讓每個人的聲音都被聽見，以認可的方式決策平衡效率和個人的，都是一些很簡單容易上手的技巧。

我會大膽地說，引導技巧的深度決定了團隊自組織的強度。在跑 Scrum 時，團隊會經歷許多的會議，像是站立會議、規劃會議、檢視會議、自省會議等等。如果會議有效，這些投入的時間就能夠轉化成團隊成長的養分。在鈦坦科技為了強化團隊的自組織和溝通能力，焦點討論法 ORID 也列為每位鈦坦人的必修課程，而不是只有 SM 需要具備的技能。

我自己在學習引導時，除了學到了工具與方法，對我個人成長也有很大的突破，我學會了如何打開耳朵用心傾聽對方的想法，也更容易聽到自己內心的聲音；學會在心情不好時先停頓一下，再選擇更好的表達方式；我也可以感受到團隊能量的流動，從而決定當下要做什麼對策；使用開放式的提問（Open Questions），讓我看見更多的可能性和聽見團隊內心的想法，從而做出更合適的決策。《引導者的工具箱》一書中提供很多的方法，對如何流暢地使用引導很有幫助。

說到引導，就必須提到公認最專業的引導訓練機構：ICA 文化事業學會（The Institute of Cultural Affairs），ICA 是個致力於建設平等和諧社會的國際性非營利組織，從 1973 年起就公益參與各個國家的社區再造，希望在人人平等的情況下一起找出願景和方向，從而使得每個人都能夠參與並支持社區的成長。

也因為有這麼多年策劃參與式會議的經驗，讓 ICA 得以歸納出一整套實證有效的方法論：參與技術 TOP（Technology of Participation），讓人人在參與決策的同時還能保持工作效率。我接觸到引導後，就更看到了創造自我管理

團隊的希望光芒，後來在鈦坦科技也見證了自組織團隊的成功，這一套引導技巧真的很強大。

值得一提的是費樂理（Lawrence Philbrook）、衛格爾（Gail West）、衛理奇（Richard West）這三位元老級的 ICA 成員，為了把引導技術帶到華文社會，從 1989 年開始就以台灣為家，所以在台灣可以參與到一整套完整的引導課程，這是其他國家少有的學習機會，許多人還會特地飛來台灣學習引導，在台灣就可以很親近這個國際知名的引導課程真的很幸運，推薦給想讓團隊更好的您。

》》》【書籍】

剛剛提到有許多好上手、易使用的引導技巧，在開會中可以嘗試一次選擇一個方法，只要做小小的改變，就能讓您的會議大大的不同。

① 《引導者的工具箱——帶動會議、小組、讀書會，不怯場更不冷場！》

可以說是活動工具的手冊，列出了上百種可以幫助引導的工具，在每個會議都可以應用。輕薄短小的工具書。

② 《 ICA Taiwan 》

有提供引導者的技能課程，和引導服務。我們團隊有參加過 Larry 主持的深度匯談（Dialogue）課程，很深刻，感覺自己的敏感度和可以接受的頻率往上提高不少。而焦點討論法（Focused Conversation）更是讓談話更有效的強力工具。

ICA 所提供的焦點討論法（Focused Conversation），對於日常的提問或是會議上的引導，都幫助很大。

ICA 課程請由此進

3 《開放空間科技引導者手冊》

　　開放空間（Open Space）是在很多人參與時，用來深入討論、了解問題、找出對策最適合的方法之一。

4 《引導反思的第一本書》

　　《革新遊戲》Daniel Teng 推薦。

5 《Facilitation 引導學：創造場域、高效溝通、討論架構化、形成共識，21 世紀最重要的專業能力！》

6 《學問：100 種提問力創造 200 倍企業力》

敏捷夥伴迴響

廖儒真　Justina Liaw　　　　　　　現為引導師、組織發展工作者
怒放文化合夥人

從引導者的角度看敏捷

　　初識 Yves，是在 2015 年的 ICA 引導工作坊，參加的人中他們公司就佔了半數，那時候我接觸的台灣企業大多沒聽過引導（Facilitation），因此有公司如此大陣仗來學引導，讓我印象特別深刻。

　　因緣際會與 Yves 有進一步的工作交集，發現他超級實務導向，不紙上談兵。鈦坦科技的會議裡，經常看到團隊使用引導工具，我於是了解，即學即用、逐步修正的敏捷精神被落實在組織裡。

　　Yves 的另一個強項是邏輯性很強。《敏捷管理生存指南》的脈絡清晰，容易理解不費力，加上他善用生活例子來說明理論，例如以

家族旅行解釋組織影響力，閱讀的同時常讓我噗哧一笑，我稱之為 Y 式幽默。

敏捷在近年十分火紅，但實際接觸，常發現企業只拿了敏捷的流程步驟，卻忽略或誤解敏捷的精髓，像是盯著五線譜彈琴，忘了音樂的本質是感動人心。Yves 在書裡談到敏捷管理的方法，同時花費不少段落書寫其中的思維，並澄清大家容易陷入的迷思，我覺得是非常重要的提點。

提到敏捷，自組織、透明化、溝通、改善等詞彙經常出現，順理成章被歸類到企業管理方法。但我認為，追本溯源，其實是回到領導者的個人修煉。怎麼說呢？以自組織來講，為了達標，團隊或團隊成員能夠自己選擇以最佳的行動完成工作，這是不分產業的領導者夢想的境界。然而，要達此境界，領導者無法以威權管理，需要以一種更為平等的模式來帶領團隊；平等，並非指外在頭銜或權責，而是心態與思維面的。當夥伴與我意見不同的時候，我是否能將之視為一個成人來做回應？我在聆聽的時候能否消弭「我才是對的」的盲點？我是不是創造一個環境能讓組織成員真實對話、放心給予彼此回饋？簡單來說，一個好的領導者，要先把自己領導好，有意識地不斷調整自身想法、情緒和行動；當「我」能以身作則、言行一致，成員才有可能願意揭露錯誤、才可能真正自省、才可能持續學習改善。

讀者在閱讀《敏捷管理生存指南》時，會看到列出內容對應的參考資料，Yves 把自身經驗、讀書心得、專家人脈結合成一本資訊量豐富的敏捷專書；對我來說，隱藏在整合底下的另番意義是：面對 VUCA 世界，眾人智慧，得以闖出未來之道！

全員參與：提升投入感與參與度的組織架構

對我們來說，全員參與制是一種思維：所有的需求都重要，不論何時。
需求包含我們所服務對象的需求，協力工作夥伴的需求，
所有地球上相互依靠各種生命的需求，與之後世世代代的需求。
出自 Many Voices One Song《全員參與制手冊》

組織最基礎的單位：圈圈 Circles

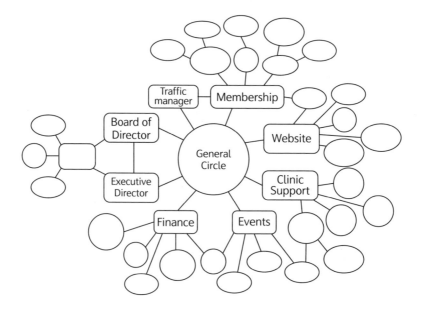

　　圈圈是由因同樣目的（Aim）而聚集在一起的人所形成，每個圈圈都是半獨立（semi-autonomous）和自組織（self-organized）。圈圈內沒有層級關係，但圈圈與圈圈之間會有層級關係。

Many Voices One Song 全員參與制手冊

https://www.sociocracyforall.org/

擁有圈（Holding Circle）是最外層，也是圈圈整體的擁有者，如公司中股東或協會的會員。通常由擁有圈指派代表到總圈圈（General Circle），總圈圈負責確保組織日常整體的營運和溝通協調，並定義出第一層的圈圈，之後每一個圈圈自行定義他下級圈圈的角色和權責。

圈圈內的決策方式：認可決 Consent Based Decision Making

為了能獲取每個人智慧和多元的意見，也做出夠好可以進行、夠安全可以嘗試（Good enough for now，safe enough to try）的決策，全員參與制使用認可決。大概的流程是每個人輪流對提案說出自己的觀點，純發表避免討論。

之後每個成員輪流說出自己的決定，會有三種可能「我同意」、「我同意但有顧慮」、「我有重大的反對意見」。在全參制只是歡迎反對意見的，因為反對意見是取得智慧和完善決策的好機會。重大的反對意見提出後，就需要針對意見做提案的修改，然後持續進行直到沒有人有「重大的反對意見」才算提案通過。而且之後隨時可以提出來讓決策更為完善的提案。認可決整體的精神就是鼓勵試驗，只要不死人，就先試了，依照成果學習再改善，並持續進行。

認可決也稱為建議流程（Advice Process），任何人都可以做任何決定，只要符合兩個先決條件：一是有詢問過重大利害關係人的意見，二是沒有重大的反對意見。更多細節可以參考這篇談論在新型組織如何做決策的文章。

特別要注意的是，很多時候如在進行引導時，沒有提出反對意見就是算認可的，不出聲 ＝ 默許 ＝ 認可，所以環境的安全度很重要，要想辦法鼓勵有反對意見的人敢於表態。

圈圈間溝通是使用雙連結，每個圈圈會指派一個代表到他的下級圈圈，而每一個下級圈圈會選出一個代表參與上級圈圈的決策。所以每一個圈圈會有兩位成員參與上級圈圈決策。不只是有上下級關係的圈圈，有緊密關係的圈圈也會互派代表，讓決策方向和力量可以保持一致。

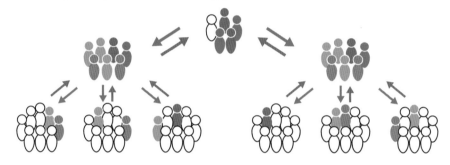

雙連結（Double Linking）示意圖

下級圈圈代表

Delegate／Representative／Rep Link／Uplink／Outlink

　　Rep Link 這是 Holacracy 中的專有名詞，是指由圈圈選舉出來代表他們參與上級決策的角色，代表的是下級圈圈的觀點。Sociocracy 中沒有定義，我會傾向直接借用電信中的專有名詞 Uplink。

上級圈圈代表

Operational Leader／Leader／Lead Link／Downlink／ Inlink

　　Lead Link 這也是 Holacracy 中的專有名詞，指由上級圈圈指派到所屬圈圈，參與下級決策的角色，代表的是上級圈圈的觀點。Sociocracy 中沒有定義，但 Lead 這個字有從屬關係的感覺，我會傾向使用中性的名詞如 Downlink。

敏捷夥伴迴響

> **沈潔伃　Joann Shen　魚水教育催化劑**
>
> 　　初認識 Yves，是因我在尋覓組織進化方法論時發現了一本書《原來你才是絆腳石：企業敏捷轉型失敗都是因為領導者，你做對了嗎？》，驚嘆於台灣已有前輩深耕於這領域之際，我竟有緣直接與譯者（即 Yves）認識。
>
> 　　第一次見面時，他的談吐與言行即和我原本所想的不太一樣（如嚴肅拘謹），他的開放、真誠與對人的關懷，讓我意識到原來這就是一位真正實踐敏捷之人，把所有的敏捷精神與原則融會至生活中。
>
> 　　對我來說，有些人將敏捷視為實踐方法，有些人把它視作一種心態，我更喜歡將其看成一種運動，因為實踐與心態必須緊密相連、知行合一，才能真正發揮其效果，而 Yves 正是一位這條道路上的前行者，引領了更多人踏上這條路。
>
> 　　敏捷最重要的精神、假設與原則，便是相信「人的價值」、理解世間複雜的本質，在快速變化的 VUCA 時代裡，讓一群有同樣願景目標的人們可以為共同相信的價值一同奮鬥，過程中又不忘人的本質（無論工作者、或我們要服務的用戶）、不把人視為機器。
>
> 　　若你對這樣的實踐方法十分心動，誠摯邀請你在閱讀這本書的過程中練習實踐，一同成為這場敏捷運動的分享者、參與者、共創者。
>
> 魚水教育催化劑

7 限制理論：找出組織的瓶頸並突破

> 當我們接受了自身的限制，我們就超越了它們。
> Once we accept our limits, we go beyond them.
> 阿爾伯特‧愛因斯坦 Albert Einstein
> 創立相對論，諾貝爾物理學獎得主

工作是做不完的，事情是處理不完的，但時間有限、心力有限、人力有限，我們要如何突破現狀呢？

我們身處在一個物質的世界，物質的世界就有限制，所以我們可以努力地試著突破限制。限制理論（Theory of Constraints，TOC）是由以色列學者伊利雅胡‧高德拉特（Eliyahu M. Goldratt）所發展出來的一種管理哲學，他的理論是所有的組織在當下只會有一個限制，只要我們能夠突破這個限制，就可以讓組織繼續成長。

限制理論有五大步驟：

a. 找出系統的瓶頸（Identify the Constraint）
b. 充分利用瓶頸（Exploit the Constraint）
c. 根據瓶頸調整做法
  （Subordinate Everything Else to the Constraint）
d. 鬆綁系統的瓶頸（Elevate the Constraint）
e. 避免慣性成為新的瓶頸
  （Prevent Inertia from Becoming the Constraint）

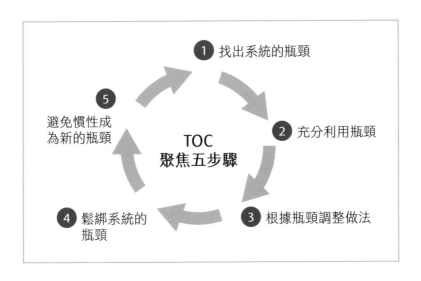

具體的做法，就是按照這個步驟出發，一步步往前走：

a　找出系統的瓶頸（Identify the Constraint）

　　找出目前限制組織成長的因素是什麼？

　　可能是知名度、轉換率、留存率、產品品質、使用者體驗、產品開發速度、品質穩定度、客服的對應等等。要先找出關鍵的限制因素，才能進行下一步。

b　充分利用瓶頸（Exploit the Constraint）

　　目前的瓶頸是否有最佳優化？

　　假設是客服，我們如何讓客服的效益最大化，是否所有的心力和時間投入都有創造價值。如果沒有，那我們如何調整？當瓶頸的效能最大化，再進入下一步。

c 根據瓶頸調整做法（Subordinate Everything Else to the Constraint）
其他的流程和功能是否有在支持瓶頸？

客服已經效益最大化的前提下，資訊部門、營運部門、行政部門、甚至是人資部門，有在幫助客服部門的效益更佳化嗎？

d 鬆綁系統的瓶頸（Elevate the Constraint）
之前認定的瓶頸是否還是瓶頸？

當所有的資源和心力都投注在瓶頸上，這時候瓶頸可能會轉換到其他的地方，所以需要時時關注現況，持續驗證關於瓶頸的假設是否還成立。

e 避免慣性成為新的瓶頸
（Prevent Inertia from Becoming the Constraint）

組織的成長沒有上限，所以當現在的瓶頸已經獲得鬆綁，新的瓶頸就會出現。為了避免組織陷入慣性，這時候就需要回到第一步，持續改善，讓組織能夠持續成長。

敏捷提供的是一個透明的機制，讓瓶頸曝露出來，接下來的改善方案才是重點。而 Scrum 和看板所提供的，就是專注，一次一事，讓我們的資源能夠全心投入在瓶頸上。

如果對限制理論有興趣的朋友，可以參考《目標：簡單有效的常識管理》一書，書中用故事舉例，如何突破瓶頸持續成長，可以很容易地看懂如何應用。

敏捷夥伴迴響

 Jonson　隨波逐流

　　VUCA 時代下企業要生存,所以敏捷管理出現了。

8 教練技巧：協助個人持續成長的有效方法

我們無法教會人任何事情；我們只能幫助他們自己從內在去發現。
We cannot teach people anything;
we can only help them discover it within themselves.
伽利略‧伽利萊　Galileo Galilei
天文學家，現代科學之父

有個人在駕駛熱氣球的時候迷途了，他看到地面上有一個人，於是他把熱氣球的高度降低，大聲的問：「抱歉，您知道我現在在那裡嗎？」

地面上的男人說：「知道啊，您在離地面10公尺高的熱氣球裡。」

熱氣球上的男人說：「您一定是工程師。」

地面上的男人說：「沒錯，您怎麼知道？」

熱氣球上的男人說：「因為您說的話在技術上是正確的，但卻沒有任何用處。」

地上的男人說：「那您一定是主管。」

熱氣球上的男人說：「您怎麼知道？」

地上的男人說：「您不知道身在何處，或者要往那裡去，但您卻期望我能夠幫助您。您現在的處境和我們剛才相遇時一模一樣，但您卻把錯推到我身上。」

把教練式提問練好，就可以避免這些無效的對話。

談到個人的成長，很多時候直接會想到的是能力的成長，比如說溝通能力、技術能力、業務能力等等，一般提升能力的做法就是教育訓練，在很多時候教育訓練確實是必要也是需要的，但總會遇到瓶頸。

在情境式領導的模型中，分成熱情與能力兩個面向，而一個成長階段會隨著能力逐步往上提升，對工作的熱情會改變，而必須做出相對應的領導行為，才能幫助一個人的能力再提升。以下介紹情境式領導的模型：

▓ S1. 低能力，高熱情

可用小牛代表，初生之犢不畏虎的時期，剛剛接觸一個新事物時，人都會充滿好奇心，好奇心會引發熱情，儘管能力很低，但會不斷地嘗試，所以這時期提供要教育訓練，直接提供解決方法，工作上直接下指令，要求用指定的方式執行，對這個人的幫助會最大，也就是命令式領導。

典型的對話會是：「這個就這樣做」、「這樣做的好處是什麼？」

▓ S2. 少許能力，低熱情

可用貓咪代表，能力到一個程度後，新鮮感會降低，好奇心會減少，因而開始產生倦怠感，熱情就跟著降低。這個時候就需要使用教練式領導，主要用提問的方式，幫助這個人找回對該事物的熱情，讓他找到之前沒有覺察的視角，重新找回好奇心提升熱情。比如「從這個角度看會是什麼樣子？」、「對方會怎麼想？」、「您的考量是什麼？」這些都是對事物的提問。

S3. 中度能力，不穩定的熱情

可用獅子代表，能力提升後，熱情會不穩定，忽上忽下，端看他的心情如何。這時候支持式領導就最能發揮作用，支持式是就是注重在團隊成員間的關係、團隊的合作情況、心理上的支持、還有對承諾的重視。領導者是否能建立信任感與心理安全感是很重要的因素，如果領導者無法建立信任，成員就會卡在這裡能力無法提升。這也是如果傳統命令與控制式的公司，大部分員工能力會停滯不前的原因，因為成員與公司之間缺乏信任感的支持，讓員工能力無法進步到下個階段。關於關係和情緒的問句會增加「最近團隊運作的狀況如何？」、「最近的心情如何？」等等對於人之間關係和情緒的提問。

S4. 高度能力，高熱情

可用虎鯨代表，這個時候這個人已經體認到樂趣是自己決定的，可以自己從工作找到新的發現，持續改善做事的技巧，從而持續取得成就感，也知道如何保持熱情。這個時候授權是最好的方式，提供足夠的舞台讓成員發揮，這個就是授權式領導。對話就會趨向確認目標的一致，對過程則交由成員自行決定，比如「這專案的目標是什麼？」、「您預期會得到怎麼樣的結果？」

從這個過程可以看到，從 S2 貓咪階段開始，就需要有教練的能力了，具備教練能力的主管，就能夠協助成員能力一路提升，從 S2 貓咪成長到 S3 獅子，最終成為可以遨遊四海的 S4 虎鯨。

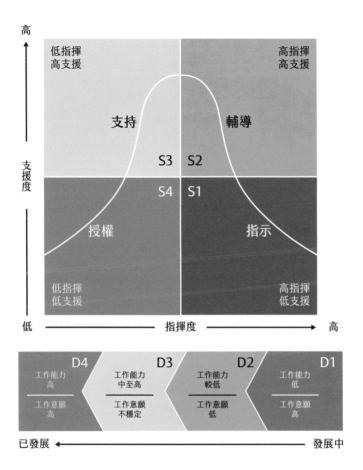

在企業中適合做教練的時間，大部分是問事情的對話，也就是幫助 S2 貓咪階段的教練式領導，在平常會議中，或是在工作指派時，肯定對方的努力，欣賞做得好的地方，導正可以更好的部分，著重在把事情完成的部分。

而在與成員進行一對一會談時（One-on-one），就適合可協助 S3 獅子階段的支持式領導，一對一會談可以是以比較輕鬆的方式，到外面吃頓飯、喝個咖啡或是飲杯小酒，肯定對方的正面意圖，幫助對方看到自己思維的盲點，著重在對個人成長的部分。

一對一是主管很重要的管理工具，因為一對一可以讓彼此的連結更深，也更容易了解成員遇到的狀態，需要善用開放式提問，確認彼此的期待，以正向的提問幫助對方突破框架看見更好的可能性，我建議是一個月一次一對一，至少三個月要一次。

　　即使已經是 S4 虎鯨階段的成員，主管也應該定期一對一，因為人的狀態可能會改變，而人的成長潛能是無限的。就如同周哈里窗（Johari window）中所提到的，我們每個人都會有別人看到，但自己看不到的盲點。而在我被教練的經驗，有效的提問和教練的支持，可以幫助看到自己之前沒有看到的盲點，進而擴大自己的認知範圍和選項。

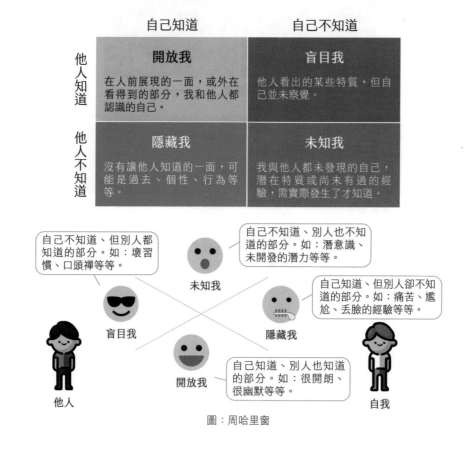

圖：周哈里窗

　　我參加過陳茂雄老師和達真教練學校的課程，對我發展提問能力幫助很大，在學習教練前，我都覺得自己很會提問了，事情跟脈絡、前因後果，我都可以問出答案。去學習教練後，我才發現我的提問都是針對「事」，但對「人」的好奇心不夠，這讓我有發現新大陸的感覺，得以往對人的好奇探索，看到每個人的努力，欣賞每個人的特點。在達真教練學校的學習中，梅家仁（Joyce Mei）校長的無我利他、蕭聖築（Amanda Hsiao）老師的清晰講解、楊守芹（Gin）老師的直指核心、徐國峰（Thomas）老師的溫暖一致、Chris 的謙遜溫暖、陳啟昌（CC）的經驗分享、大人教練的關鍵提問，與課堂中同學的練習，都讓我對教練的理解更深入，幫助我內化教練的技巧。

　　在李崇建老師的「從自我成長到生活應用——薩提爾模式導入」課程中，我學習到如何關心對方的情緒，貼近自己的情緒，當體驗到情緒後，就容易覺察自己當下的情緒，因此能夠選擇考量自己、他人、情境三者後的一致性表達，讓溝通更順暢。不但對我自身的情緒管理很有幫助，也讓我更可以跟對方連結。

　　李崇建老師的 6A 情緒管理技巧，讓我得以更認識與貼近自己的情緒，6A 技巧流程如下，自己跟自己說以下的對話，「」中的情緒可以自行替換成當下最強烈的情緒：

① 覺察（Aware）：我感覺到了自己在「難過」
② 接納並允許（Accept ＆ Allow）：我願意接納、並且允許自己感到「難過」
③ 接近（Approach）：我願意靠近這個「難過」的自己
④ 陪伴（Accompany）：我會陪伴這個「難過」的自己一會兒。停頓，陪伴並感受身體的感覺至少一分鐘

5 行動（Action）：深呼吸 5 次，讓情緒流轉到體外

6 欣賞（Appreciate）：我欣賞儘管那麼「難過」還是那麼努力的自己

　　先把前四個 A 做好（4A），至少做到純熟（大約一個月）再開始做完整的 6A。

　　之前我常常陷入對人或對事的拿捏中舉棋不定，而我經常選擇直接對事不對人，因為我不知道如何兩者兼顧。我也不知道如何肯定對方，我的教練學長 Paddy 就跟我說過一句話「如果無法肯定對方，代表無法肯定自己」，一語驚醒夢中人，自從我開始練習每天肯定自己後，就知道如何肯定對方了。

　　而在學習教練後，我看到了同時關注事和人的可能性，也就是「先照顧情緒、再處理事情」。在對話中先同理對方的情緒，肯定對方的正向意圖，欣賞對方的努力和特質，發掘對方的渴望，這邊都是照顧情緒的方法。接下來再表達自己的期待，校準彼此的期待，導正對方的行為，讚美符合期待的表現，以上則是處理事情的方法。經由先照顧情緒，再處理事情，就可以成為一個既有溫度，又可激發潛能，同時也關注績效的主管。

　　以下是教練相關的學習資源，發展教練能力的好處，除了瞭解自己，同時也幫助他人成長，並成為更具影響力的自己。

教練的方法著重如何在一對一的對話中，讓對方產生啟發而促成改變

① 《一分鐘經理》
輕薄短小，一小時可以看完的故事，而且囊括了大部分教練的關鍵思考點。

② 《激發員工潛力的薩提爾教練模式》
將薩提爾的冰山模型應用到教練中的方法。

③ 《顧問成功的秘密》
溫伯格的經典書籍，如果想要當顧問必讀。

④ 《薩提爾教練模式：學會了，就能激發員工潛力，讓部屬自己找答案！》

⑤ 《對話的力量：以一致性的溝通，化解內在冰山》

⑥ 《10 倍速成功：您的努力都用對地方了嗎？移除干擾，表現出乎意料！》

旭立文教基金會

　　陳茂雄老師，有 20 多年企業高階管理者的經驗，在擔任 IBM 大中華區電信媒體事業群的總經理之後，因為對人的高度興趣，而接受了正式的心理諮商專業訓練，成為企業領導者教練，為幫助領導者提升事業達成目標，定期在旭立文教基金會開設「從自我覺察到發揮影響力工作坊」和「薩提爾教練模式」課程。

達真國際教練學校

　　達真國際教練學校的梅家仁（Joyce Mei）校長，在 2006 年對教練產生興趣，因此到國外學習教練，之後把教練帶入台灣，成立台灣第一所教練學校，同時也是華人第一位大師級教練（Master Certified Coach，MCC），在達真教練學校可以學習到以「無我利他」為核心的教練方法。

從自我成長到生活運用工作坊

　　敏銳的感受力，豐富的生命體驗，可以在幾句話之中就打動人心的李崇建老師，在長耳兔開設的「從自我成長到生活運用工作坊（薩提爾模式導入）」課程。

蘭盈國際管理

　　致力於推動教練陪伴與輔導計畫顧問講師的鄧雲暉博士，是台灣少數同時擁有組織管理心理學博士背景、市場行銷與消費心理

學、並結合國際級專業教練 PCC 資格認證的顧問講師。擅長於領導個人與團體管理技能、溝通技巧、與激發個人優勢能力。鄧雲暉博士創立的蘭盈國際管理是教授以「探索優勢」為核心的教練方法。

敏捷夥伴迴響

> 陳茂雄　Kent Chen　　　　　　　曾任 IBM 大中華區電信事業群總經理，
> 現為領導人教練，
> 著有《薩提爾教練模式》與《薩提爾的自我覺察練習》二書

敏捷管理與人本主義

2016 年年初，一位「Agile Computing Association」的成員因為看了我剛出版的《薩提爾教練模式》一書，而邀請我去他們的定期聚會演講。當時我有點訝異，因為這個聽起來由工程師所組成的協會，怎麼會對教練式領導有興趣呢？

經過他的解釋，我大致的瞭解是：敏捷式軟體開發（agile software development）是一種方興未艾的電腦軟體開發方式，而教練式領導的概念與方法可能可以應用在這種開發方式上。於是我就去演講了，這是我和敏捷管理的第一類接觸。

之後開始陸陸續續有許多職稱為「Scrum Master」的工程師來報名參加我的「薩提爾教練模式」，甚至當時身為鈦坦科技台灣公司的總經理，也就是本書的作者林裕丞也來參加我的課程，並邀請我到新加坡為他們總公司的人員上課。和這些學員聊天後，我開始對 Scrum、Scrum Master 也有了粗淺的認識。這是我和敏捷管理的第二類接觸。

此次承蒙林總經理邀請我為他這本書寫序，才有機會進一步深入瞭解「敏捷管理」的意涵。看完書稿後，我終於比較能夠體會為什麼有這麼多使用敏捷式軟體開發的工程師，以及致力於推廣敏捷開發的管理領導人員會來上我的課，因為敏捷這個概念不只是一個方法，更是一個信仰，一個和「薩提爾教練模式」所服膺的「人本主義」很類似的信仰。

　　「人本主義學派」在心理學的演化過程中被稱之為「第三勢力」，有別於「第一勢力」的「精神分析學派」，以及「第二勢力」的「行為學派」。精神分析學派相信人的行為主要由生物本能（追求歡樂、迴避痛苦）所決定。行為學派則認為人的行為主要由環境所決定，只要操控環境（如給予胡蘿蔔和棍子）就能讓人展現出各種我們希望他展現的行為。

　　人本主義學派則認為精神分析學派太偏向「決定論」，說得極端一點，也就是人一生下來時，他的命運就已經被決定了；而行為學派則太相信胡蘿蔔和棍子可以決定一切。這兩種理論都失之偏頗，不符合多數人自身的經驗以及觀察他人所得到的結論。例如許多人能夠跳脫生物本能、物質慾望而追求精神層面的滿足，就是精神分析學派的決定論之反證。又如許多人能夠出淤泥而不染，即使在威逼利誘下也不改其志，就是行為學派的反證。

　　人本主義學派認為人還有「自我實現」的本性，也就是希望將自己的各種潛能（如解決問題、創造發明、與他人合作、愛人被愛等）開發出來，使自己變得更好的本性，因此強調心理學應著重於這個本性的研究與應用，而非著重於如何壓抑生物本能，或者如何操控環境以影響人的行為，故稱之為「人本主義」。人本主義的主張不只改變了心理治療的方法（如以人為中心而非以病理為中心的心理治療法），更廣泛地促成了教育改革（如以學生為中心而非以知識為中心的教育方法），以及組織管理的典範轉移（如相信人是

組織最重要的資產，只要員工成長，組織就會跟著成長）。

從本書所揭櫫的許多敏捷管理背後的理念與精神，我都看到「教練式領導」所服膺的人本主義的影子，例如：

個人與互動重於流程與工具。

與客戶合作重於合約協商。

由他人管理有其侷限，故需要更多的自我管理。

自組織是從最初的無序系統中各部分的局部相互作用，產生某種全局有序或協調的形式的一種過程。這個過程是自發產生的，它不由任何中介或系統內部或外部的子系統所主導或控制。

Scrum 沒有人負責工作分派，而是由每個人自己認領。

Scrum Master 就是團隊的「僕人式領導者」，除了必須幫助團隊以外的人瞭解如何有效與團隊互動外，也要幫助每個人改變方式讓創造的價值最大化。

Scrum Master 的工作不是移除「所有障礙」（沒人做、不想做的、沒時間做的，都是 SM 的事），而是移除「阻擋團隊進步的障礙」。

Sprint Commitment 達成與否，是用來「改善」的依據而不是用來「指責」的工具。

敏捷式的專案管理更注重在人的層面，講求的是快速地從經驗中學習反應和團隊的自我管理。

把人才當作資源與投資是實踐敏捷管理所需要的企業文化。

本書精彩之處首先是深入淺出，用許多生活化的例子讓讀者很快瞭解一些概念。其次是對於敏捷方法背後的精神有很深入的探討與描述，讓讀者能夠既知其然，也知其所以然。最後是提供了豐富

的參考資料，無私地分享了作者多年研究與實踐敏捷管理的經驗與結論。

　　對我來說，敏捷管理是一種從「以『事』為中心」轉變為「以『人』為中心」的典範移轉，我衷心希望這個人本主義在企業敏捷化上的應用與實驗順利成功！

《薩提爾的自我覺察練習》&《薩提爾教練模式》
Facebook討論社團

9　教育訓練：創造共同語言幫助有效溝通

CFO（財務長）問 CEO（執行長）説：
「我們花錢培養員工提供教育訓練之後，如果他們走了怎麼辦？」
CEO 回道：「假設我們不培養，如果他們留下來怎麼辦？」

　　我認為讓知識可以傳遞到學員身上，最好且最有效的方法，就是直接去上好老師的講師訓練課程，所以以下推薦兩個相關資源：

福哥的部落格　福哥的講師課程超級棒，有系統地整理出講課和簡報的技巧，公開班非常少，遇到千萬別錯過了。

憲哥的部落格　憲哥非常有感染力，聽到他的演講能量滿滿。要上到憲哥的課，也是要用搶的。

　　如果沒有資源可以支持您去上課沒關係，還有這些書也很有用：

① 《提高轉換率，令人心動的行為召喚設計》
　　不管是行銷人員、開發人員、設計人員或 PO，都可以藉此了解如何創造使用者想要的產品。

② 《Mobile APP 設計企劃工作坊──如何打造五顆星評價》
　　我認為這本是做 APP 的 PO 和設計人員必讀的書，也推薦給資深的開發人員。

③ 《認知心理學──洞察使用者的心》
　　如果想了解人類如何認知和感受環境，這本書很有啟發。

《遊戲人生：有效有趣的破冰遊戲》

講師界的講師，楊田林老師整理出很多可以應用到訓練中做中學的遊戲。

敏捷夥伴迴響

> **林思玲　Frieda Lin　ICA 認證引導師與講師**
> 引我入敏捷之門

初次遇見 Yves，是個「奇」遇：第一奇，是他帶著十多位主管來上 ICA 的「深度匯談」課程。（當時我問了 Larry 很多次，我應該沒有聽錯吧？Yves 知道正常人會從 ORID 開始嗎？！）第二奇是兩個月後他竟然安排公司其他同仁都要學 ORID。（當我去鈦坦理解需求時，他們的 IT 主管還問我 ICA 是個邪教，會開始要人交月費嗎？為什麼那些上完深度匯談的人都變了一個樣？）第三奇是一個理工人且肩負營運成敗的人，有耐心理解引導並且明白引導在組織發展與敏捷文化的價值。當時 Yves 說推動敏捷需要引導，不懂敏捷的我們，只好相信 Yves，也因此 Yves 與鈦坦帶著我開始認識「敏捷」。

從這幾年瞎子摸象般的學習與體驗當中，我體會到敏捷不是「一套工具」，而是一趟組織文化轉型的歷程。我遇到過有些組織的敏捷運作起來是沒有自省會議（Retrospectives）的，有些是沒有 Scrum Master，更別提有很多組織的 Team member 是沒有理解過敏捷是怎麼回事就成軍的。有許多參與其中的工程師告訴我，我早就知道要做什麼了，我只是配合主管在 planning 會議中假裝我還不知道。還有人道出他內心深處對敏捷的看法：我怎能容許自己去做沒有把握成功的事呢，怎麼可能 learn fast and fail fast？更別說有多少組

織的高層看看書就帶著大家做敏捷，行不通的時候就怪敏捷不適用。坦白説，敏捷這條路上不走彎路不撞牆的組織實在不多。在摸索敏捷的路上，看到 Yves 有個特點，他學到新的事物就會很快應用在組織上，雖然不見得每次的嘗試都是令每個人愉悦的，但是他願意嘗試與面對後果且快速的調整，也展現了迭代的精神。

Yves 常常提到引導是敏捷化的必要條件。以下是我在近幾年協助組織敏捷化轉型的經驗中體驗到的心得：

如果引導這個字的原意是「使容易」，那在敏捷的主題下它讓什麼變得容易？

從操作面來看：

談敏捷，持續學習與透明化是重要的關鍵。形式上，有 Scrum Master 這一個角色的配置與許多反思的儀式。大多數的人在職場的歷練中都會帶大家開會與進行回顧會議。如果不虛心學習，就會用已知的經驗與能力帶領回顧會議，仔細去觀察會發現，大家的回顧只圍繞在結果與進度的檢討與改善方案。如果能學好引導且應用得宜的 SM 就有機會在回顧會議中，透過好的問題設計與引導的能力，帶領大家超越一成不變的成果與過程的檢討，能深層挖掘出一些重複的無效模式底下的信念與假設，揭露需要面對的思維轉變，解除「集體愚蠢」的盲點。也就是説，善用引導的技巧，是可以在敏捷的各種儀式會議當中，讓團體裡更深層的運作模式浮現變得透明化，同時每一次的回顧會議就有機會在更深層的看見當中對於自己（個體與團體）的限制框架有更多的學習。

從文化面來看：

引導如果做得好，在過程中自然會因為彰顯了「每個人的每個觀點都同等重要與同等受歡迎」而同時支持到成員之間突破階級框架的「被尊重」的感覺。當團隊中這樣的經驗多了，就有機會讓大

家「相信」他們説出不同於主流或不同於政治正確的新觀點是安全的，經過測試也不會遭遇到什麼後果的話，就有機會提高自組織的量或程度。

　　大部分在敏捷化過程中扮演重要角色的人都不具備組織發展或是領導變革的專業，普遍會用一般的 Problem Solving 思維或是專案管理的作法在經營敏捷轉型，只學會套用形式，卻不知道如何從文化層面去支持敏捷的運作，通常一段時間之後就用「敏捷不適用」做結論，歸咎於外在的理由而迴避自己無效的模式，讓敏捷背了不少黑鍋。如果學會並善用引導，那麼就有機會在套用敏捷形式的過程中，同時經營到包含了持續學習、將思路與觀點透明化以及較多自組織程度的文化轉變。

　　高階主管的視野與理解敏捷的能力也是重要的關鍵。當自組織程度高了，有可能讓原有的權力中心（高層主管）感到不安，協助高層主管成為敏捷文化的代言人也是重要的關鍵。Yves 帶領鈦坦團隊時就提供了很大的空間讓團隊投入與摸索，這一點正是許多其他組織在敏捷化過程中可遇不可求的。

　　很感謝 Yves 與鈦坦團隊這一路走來的分享與信任，帶我進入敏捷世界瞎子摸象。敏捷化已經是企業競爭力的關鍵，相信這些學習可以協助未來的同好少走一點冤枉路。

　　"

好書推薦：從別人的經驗加速自身的成功

盡信書，則不如無書。——孟子

以下，我將介紹幾本我自己認為很有用且也有必要讀的書目，供大家參考：

> ## 精實生產

精實生產是以豐田生產方式（Toyota Production System，TPS）為基礎所發展出來的管理模式，著重的點在減少浪費。精實生產定義了以下八種浪費：非必要的運輸、庫存（包含零件與半成品）、非必要的人員或設備運動、等待、生產品多過需求、多餘加工、瑕疵、不滿足客戶需求的生產產品和服務。

而在軟體專案中，庫存、等待、和不滿足客戶需求的生產產品和服務等三項是最常發生的，庫存就是沒有上線賺錢的軟體，等待通常發生在工作分派不均的情況，而生產的產品不滿足顧客需求更是常常發生。

《精實創業》（Lean Startup）一書中，建議使用最小可行性產品（Minimum Viable Product，MVP）的方式盡快推出市場驗證價值，從而減少庫存和不滿足顧客需求所產生的浪費。這種使「每份投入都產生價值」的精實生產也是敏捷常見的概念。

> ## UX 使用者經驗書單和學習資源

敏捷和 Scrum 是以產品為核心，而產品是為了人而打造。

做決定時以使用者為中心，並真切了解使用者體驗，是敏捷團隊必備的技能。

雖然很多人會認為這是產品負責人的事，但我認為，如果沒有讓全部成員都把使用者放在第一位，那就很難做出感動人心的產品；而沒有感動人心的產品，團隊也就危在旦夕了。

基礎必讀區

記得：使用者才是老大！所以如何面對些使用者是最重要的。

1. 《User-Centered Design 使用者導向設計》
   團隊應該以怎麼樣的心態和方式來面對使用者。

2. 《訂價背後的心理學：為什麼我要的是這個，最後卻買了那個？》
   開發團隊要怎麼做出使用者要的產品。
   補充說明：這本是很實用的心理學，可以立即應用在產品定價方面。

進階使用者界面（User Interface）設計選讀區

很多人會把 User Interface（UI）和 User Experience（UX）當成同一件事，但其實 UI 只是 UX 的一部分而已。

好的 UI 不代表好的 UX，而好的 UX 必須有好的 UI。

閱讀以下這四本書，都可以有很多的收穫：

1　《微互動，設計由細節出發》

2　《如何微調互動界面讓使用更流暢》

3　《Multi-Device 體驗設計：處理跨裝置使用者體驗的生態系統方法》

4　《跨裝置的界面設計》

進階心理學選讀區

使用者是人，當然要談心理學啦！

以下是我自己喜歡的四本書，推薦給大家：

1　《讓您荷包失血的思考謬誤》
　　這本書介紹了有趣而且常見的心理學謬誤，更提到如何利用這些謬誤。

2　《粉紅色牢房效應：綁架想法、感受和行為的 9 種潛在力量》
　　此書漫談人如何感知、了解環境和怎麼被環境影響。

3　《躲在我腦中的陌生人：誰在幫我們選擇、決策？誰操縱我們愛戀、生氣，甚至抓狂？》
　　這本書基礎談到大腦的運作方式，及大腦如何影響我們的行為。

4　《覺察力：哈佛商學院教您察覺別人遺漏的訊息，掌握行動先機！》
　　這本書從真實事件來探討盲點的產生原因和克服方法。

① 《QBQ！問題背後的問題》
面對問題需要持有的態度是什麼？到底是誰的問題呢？這本書說明得很清晰。

② 《您想通了嗎？解決問題之前，您該思考的 6 件事》
別急著開始解決問題，先搞清楚問題是什麼，會更容易解決問題。

③ 《學問：100 種提問力創造 200 倍企業力》
如何問出好問題，這本書的範例都是很容易使用的。

④ 《領導者，該想什麼？：運用 MOI（動機、組織、創新），成為真正解決問題的領導者》
敏捷開發的祖父傑拉爾德・溫伯格的著作，如果想要成為一個技術領導者與主管，我認為這本書的幫助很大。

團隊運作入門

① 《帕金森法則，管理課上教不到的人性管理學》
看完這本書就可以知道至少 80% 組織和團隊會遇到的問題。

② 《第五項修煉》
會學習的組織才能面對變化，書中談到如何讓團隊成為一個學習型組織。

③ 《團隊領導的五大障礙》
利用故事來帶出如何讓團隊增加互信、提升效能的指導原則。

④ 《原來您才是絆腳石：企業敏捷轉型失敗都是因為領導者，您做對了嗎？》
提供如何讓敏捷在企業與組織落地的具體方法，包含全員參與制、超越預算、開放空間會議。

⑤ 《薩提爾教練模式：學會了，就能激發員工潛力，讓部屬自己找答案！》
運用教練技巧，能讓彼此更連結而且幫助個人成長。

⑥ 《Facilitation 引導學：創造場域、高效溝通、討論架構化、形成共識，21 世紀最重要的專業能力！》
想讓團隊運作得順暢，擁有好的會議引導是最有效的方式。

敏捷團隊請參考：Scrum 與敏捷開發書單和學習資源。

》》 **經濟學**

經濟學談的是市場力量，而市場能形成靠的就是買賣雙方的誘因。理解經濟學，才能讓政策和規定達到目的，而不會反而造成反效果。

① 《蘋果橘子經濟學》
用很有趣的案例，說明錯誤的誘因會導到完全相反的結果。
如果老鼠為患，鼓勵大家抓老鼠換錢，老鼠會變多還變少呢？

② 《史丹佛給您讀得懂的經濟學：給零基礎的您，36 個經濟法則關鍵詞》
這一本書可以帶您看完經濟學的所有理論。

心理學談的是人的心智模型，利用心智模型，可以幫助相互之間的溝通，加強溝通的品質。

① 《快思慢想》
用故事說明人的思維模式跟常見的思考謬誤，是一本很好讀的書。

② 《讓您荷包失血的思考謬誤》
在上文「進階心理學選讀區」已有提過。跟《快思慢想》一樣，用故事說明思考誤區的書。

③ 《30 分鐘破解性格密碼》
MBTI 是企業界最常用來做性向測驗的方法。用來快速分類性格，找出適合的溝通模式，非常實用。

④ 《跟薩提爾學溝通》
利用薩提爾模型，可以幫助自己或對方找出盲點或誤區，達成共識。

社會學

社會學研究人和人的關係和互相的影響，了解社會學，可以知道如何影響或避免團隊動力（Team Dynamic）的發生。

① 《隱藏的邏輯：掌握群眾行為的不敗公式》
書中論及為什麼人會做出不符合心裡所想的行為。

② 《為什麼我們這樣生活，那樣工作？》

要讓事情持續發生，只有養成習慣。

本書說明如何養成自己、其他人或團隊的習慣。

敏捷夥伴迴響

> **周震宇　Eric Chou　聲音訓練專家**

我喜歡 Yves 闡述敏捷文化的方式，先以條列的方式一言以蔽之，再以真實的故事說明，並提出反思。這樣的方式讓像我這樣的門外漢也能以輕鬆的方式理解敏捷的文化。

書中有相當多深富意涵的陳述，不斷地敲扣著我，例如：「敏捷不是花大錢教育訓練，而是在工作中反思和成長。」在我的生活中不少熱愛學習的朋友，對於學習的投入是沒有上限的，不間斷地學習也是這些朋友們的理所當然。然而從旁觀察，不斷地輸入知識卻沒有反思，就無法讓所學轉化成智慧，雖然得到了學習後的安心感，卻沒有真正的運用在生活之中，實在可惜了所花費的時間。

書讀到了這裡，我又有了更深一層的覺察，如果只把這書當成工具書，實用的程度不在話下。如果從職場智慧與人生哲學的角度來讀這本書，更是不同層次的啟發。在我咀嚼文字的過程中，我過去的經驗也不斷地呼應著，一字一句話都值得反覆回味。

書中不只一次提醒自我省思的重要性。

敏捷不僅是軟體開發的方法，也是面對人生的一種態度。如果你不懂敏捷思維，這本書將是很棒的入門引導；如果你正在敏捷當中，其中的案例與說明，將為實務操作提供參考。

跳脫了敏捷的技術，進入了敏捷的精神，這本書更是一本進階
人生的旅遊指南。 "

Chapter.8
實戰報告

敏捷實踐者的心得是什麼？

台灣敏捷社群演進史

柯仁傑　David Ko

敏捷三叔公

> 敏捷三叔公講古——台灣敏捷社群演進史
>
> 敏捷這幾年在台灣很紅,經理人、Cheers 快樂工作人雜誌和哈佛商業評論相繼報導敏捷相關新聞,並且台灣也有幾場敏捷相關的研討會(Agile Summit 和 Agiletour)。很多人都很好奇,背後敏捷社群是如何在推動,他們是怎樣興起的。因此,就讓敏捷三叔公來講講古吧。

緣起

大約在 2009 年(或2008年)我去上了 Bas Vodde 的 CSM(Bas 是知名的敏捷教練,也是 Odd-e 公司的顧問),他說敏捷要能在台灣落地生根,最好的方法是透過社群。利用社群所產生的力量,對台灣軟體界產生影響力。

因此,2009 年 10 月 29 日,那時候上課的某些學生,在 Facebook 上建立了 Scrum Community in Taiwan 這個社群,主要是用來資訊分享、討論敏捷相關問題,或者轉貼敏捷相關的活動和文章。雖然是由 CSM 的同學建立的社群,後來

(圖一)Bas 的 CSM 教材
當年 Bas 還很年輕,哈

就變成我個人在經營。

（圖二）Scrum Community in Taiwan 社群

社群聚會

經過一陣子後，網路上有些敏捷愛好者，像是 Aska Lee、Tony Chang、Shawn Liang 和 Jonathan Chen 等等，說想一起成立一個社群，因此我們把這個社群叫做 AgileCommunity.tw，其意義就是 Agile Community in Taiwan，所以就在 Facebook 成立了這個粉絲群。

那時候 AgileCommunity.tw 主要是用來公布每月活動，Scrum community in Taiwan 則主要是用來討論和轉貼文章。從那時候開始 Scrum community in Taiwan 變成多人經營。那時候很單純，一方面純粹只是想推廣敏捷，另一方面也沒有社群經驗，名字取得簡單，也沒有設計 logo。

（圖三）AgileCommunity.tw 粉絲團

不過，那時候我們訂定了社群發展的目標：

（1）短期目標：

定期小型聚會

交流敏捷開發技術方法

（2）中期目標：

舉辦國際型大型聚會（像是 Agiletour，Scrum Gathering）

逐步擴展至企業文化中

（3）長期目標：

與跨國組織合作

影響政府組織，提升競爭力

另外，在 2012 年 9 月 12 日時，開始了我們第一次聚會。那時候有幾個知名大神參加，像是 iHower 和好威哥，讓社群討論精彩不少。

（圖四）AgileCommunity.tw 社群第一次聚會

那時候我們辦一個五分鐘分享的聚會，每個參加者都需要分享一些東西，不能只是光聽而已，需要有雙向交流。因為我們希望來的人都要有收穫，雖然可能還不那麼懂敏捷，但是自己唸了一些東西，分享個五分鐘，還是對彼此很

有幫助的。那時候 iHower 寫的〈從 Scrum 到 Kanban：為什麼 Scrum 不適合 Lean Startup〉成為那個時間點被熱搜的文章。

社群興起

2012 年開始了社群的聚會，經過了 2 年的經營，人數總是在 20 - 30 左右，主要是我們不擅長經營，另外也是沒有明星級的影響人物出現。就像星光大道一樣，當初沒有楊宗緯和蕭敬騰等話題人物，這個節目可能是不容易讓人記住的。

2013 年時，我在 qCon 上海有個分享，因此認識了那個 session 的組織者 Daniel Teng，覺得他的想法特別不同。剛好我們公司要尋找 CSM／CSPO 的講師，我就邀請了 Daniel 來台灣授課，並且也請他在社群分享。

在 2014 到 2018 之間，他分享了三次，三次的內容都很撼動人心，喚醒大家內心深處想要追求的好。因此，很多人投入了社群，想要推廣敏捷給大家，想要讓台灣變得更美好。那時候來了很多中流砥柱，像是 John Yu、葉承宇、Hugo Lu、Vince Huang、Terry Wang、陳俊樺、楊伯謙等等，對於敏捷社群之後能開枝散葉，影響是十分巨大的。

（1）流星來了（Meteor is Coming）
2014 年 4 月 14 日

（2）18 + Adult Only
2016 年 5 月 17 日

（3）切膚之痛
2018 年 5 月 8 日

（圖五）在流星來了那場分享時，我們引入了圖像紀錄，右下角是 Ripley

　　Daniel 不只帶來思維的轉換，他也介紹了許多台灣各領域優秀的朋友給我們認識，像是 ICA Taiwan 的 Lawrence Philbrook、Frieda Lin、Eric Tseng，圖像記錄師 Jayce Lee、Ripley Lin。

　　有時候覺得蠻好笑的，台灣自己的好導師，居然是外面的人介紹我們認識。不過也是由於 Daniel 的介紹，讓我們開了腦，不單只是認識敏捷，而是一切有助於我們的，都需要去認識。

　　從此，敏捷圈不是只談敏捷，一切好東西我們都很積極和開放地去學。不會因為是敏捷社群，進去後只看到敏捷，在我們社群中，是五花八門，每個好東西我們都有興趣。曾經有人説到，進到 Scrum community in Taiwan 後，Scrum 倒是不太看到，反而是引導、即興表演、教練、系統思考等等，一些不務正業的東西都跑出來。

（圖六）Eric 來敏捷社群帶引導

這就是敏捷思維，我們不會固定自己在某個東西上面，只要有需要，我們都願意去嘗試、願意去接納。如果有人導入敏捷 3-4 年後，還是只在談敏捷，那可能還沒有敏捷。

全盛時期時，平時的線下會議就可以上百人，或者接近兩百人，真的蠻恐怖的，因此，需要去借到 AIC（美國創新中心）的場地。

（圖七）在美國創新中心松菸的場地，約總所帶來的變異測試

Agiletour

Agiletour 是社群一開始鎖定的中期目標，由 Aska Lee 提出申請，過了之後我們一群人討論要如何實現。

因為沒有任何經費，也沒有人有招募的經驗，所以錢會是第一難題。我們思考了一下，什麼地方會花錢呢？什麼地方會花最多錢呢？那時候覺得最難的就是場地費和講師費用，如果這可以解決，就不會有太大的問題。

那時候場地部分，我們向趨勢科技借場地，很幸運地當時的 site manager、HR 和 Oscar 都説沒問題，願意贊助社群活動，因此，我們前三年就靠趨勢科技的場地，順利解決了經費的問題。

（圖八）Agiletour Taipei 2014 參與者合照

當時鈦坦科技的總經理 Yves 有參加第一屆活動，因為他是最早的兩位參與者，因此獲贈 Odd-e 的海報一張。您看，Yves 笑得多開心啊！

那時候我們在科技性的研討會上，進行兩個突破性的活動：

（圖九）Yves 收到海報時的笑容

9:30 ~ 10:00	報到			
10:00 ~ 10:10	Opening			
10:10 ~ 11:00	Keynote speech 趨勢科技的 agile tour / Joy Chen			
11:00 ~ 11:10	Break			
11:10 ~ 12:00	Keynote speech Project GATE 的敏捷實踐之路 / Richard Hsiao			
12:00 ~ 13:00	午餐（現場發放餐盒）			
13:00 ~ 15:30	Workshop I: 看板桌遊 (20人) Teddy Chen	Workshop II: Brochure Game (20人) Jonathan Chen	Coding Dojo I: Coding Dojo with C++ and TDD (10 人) Aska Lee	Coding Dojo II: Coding Dojo with C# and TDD (10人) Joey Chen
15:30 ~ 15:50	Coffee Break			
15:50 ~ 17:10	Lean Coffee			
17:10 ~ 17:30	Retrospective & 閉幕			

（圖十）Agiletour Taipei 2014 議程表

（1） Lean Coffee

我們利用 Lean Coffee 來討論 Agile 所遭遇到的問題，這是一個超級互動的活動。沒有制訂要討論什麼主題，沒有講師會提供答案，一切都是由參與者來主導和貢獻的。所有與會者都很積極討論，老實說，我幾乎很難看到研討會有這麼熱烈的交談，每個人以開放的心態，說出自己心中的疑慮，並且也熱情表達想法，這才是我理想中的社群研討會。

（圖十一）在 Lean Coffee 討論時眾人投入的狀況

（2）60 人的 Retrospective

Retrospective是什麼，當時很多人並沒有聽過，更不用講什麼叫做ORID。我們讓台灣技術人接觸了 Retrospecitve 和 ORID，那時候 Joey Chen（91 大大）也給了很棒的回饋。

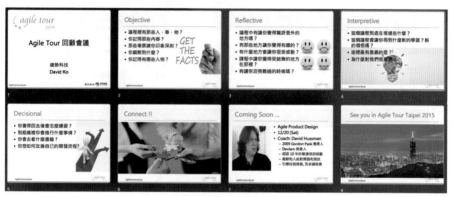

（圖十二）當年 Retrospective 的投影片

在 2015 年時，Agiletour Taipei 擴大到兩天，第一天是演講，第二天是工作坊。那時候我們的想法就是想讓大家聽到飽，並且動手也玩到爽。就是想讓大家物超所值，很工程師的想法，哈。

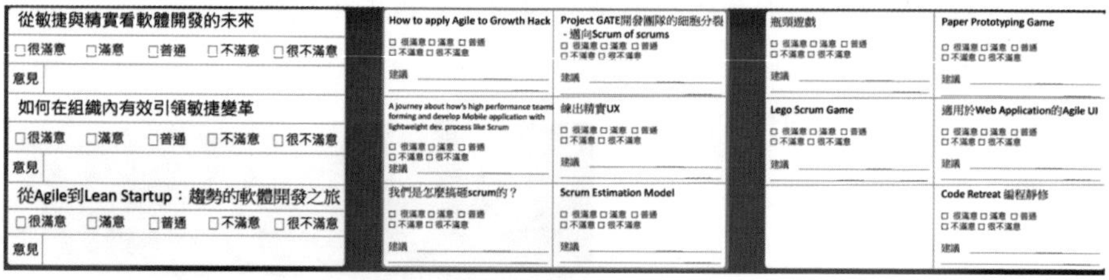

（圖十三）Agile tour Taipei 2015 安排的分享

此時我們又做一個突破，在工作坊時引入 Code Retreat ，讓大家寫一整天的程式的工作坊。我想這對研討會來說真的很特別，除非是上課，否則真的很少有研討會會安排一天的工作坊去寫程式，真的很感謝 Steven Mak 無私的

付出，那時候他從香港飛過來，我們並沒有付他多少錢，敏捷的大愛真的很感人。

那一年，泰瑞（Terry Wang）自告奮勇的說要來分享，就這樣一顆敏捷之星冒出頭。敏捷社群有您真好，您的熱情感染了很多人，感謝您無私的付出。

（圖十四）Code Retreat 的議程

（圖十五）泰瑞演講時的英姿

此外，那年艦長也參加了敏捷之旅活動，他寫了好幾篇心得文，讓我們活動真實的一面被記錄下來。不知道當年的氣氛，是否有促成他接下 DevOps Taiwan 萬年組頭的想法，哈哈。

到了 2016 年，我們又做了一些嘗試，求變是敏捷社群的特色：

（1）敏捷現狀調查

看到 Titansoft 在 Agile Singapore 2016 的調查，讓我覺得這可以讓參與者分享自己的現狀，也讓大家知道其他人的方式又是什麼。後來在Agile Summit 和 DevOpsDays Taipei 都有類似的活動。讓與會者相互瞭解真的蠻重要的，不是只有講師對與會者，與會者之間也是要有互動。

（2）開放空間會議

這是一個新的嘗試，國內科技業沒有研討會搞這類型的活動。每個都是排好滿滿的行程，似乎有個空擋就對不起大家。大家也覺得參加研討會就是要被餵話題，要被人家帶著走，可是卻沒有機會把自己的心聲給說出來，把自己想問的問題給提出來。而開放空間正是給您一個機會做這樣的事。

（圖十六）敏捷調查

（圖十七）大家在開放空間會議中的討論

老實説，在整個過程我確實很膽戰心驚，但是結果令我很驚訝，第一是，居然可以提出 45 個討論議題。第二，雖然中間有個晚餐，但是大家還是很努力地，持續把剩下兩個 session 搞定。我只能説留下來的人，真的很有心想了解 agile，想要知道別人怎麼做，跟自己的差別又是什麼。所以最有收穫的，通常是堅持到最後的人。

（3）圖像紀錄

　　圖像紀錄在國外蠻流行的，台灣也有很多這個領域的能人，可惜的是大多數的人不知道，在這次活動時，我們加入了圖像紀錄，把它引入了技術研討會之中，讓人知道研討會除了知識的美外，也有藝術的美，讓您以視覺化的方式，記下今天的智慧。

（圖十八）圖像紀錄

　　2017 年時的重點，是人才的大量出現。那年能夠這樣成功，John 是主要的關鍵因素。他全心全意投入每次的活動，不管是 Agile community in 內湖，新竹 meetup，或者是 AgileCommunity.tw 的場次，都可以看到他的身影。不但是參加而已，他還會很熱心地主動幫忙。個人覺得，沒有他，就沒有2017 年的成果。John，真的很感謝您的付出。

那年各地的志工群真的很龐大，Hermes、Max、Cash、Murphy、Vince、Jenson、生魚片、俊樺、Juggernaut、志弘、Terry、志豪、丁丁、Frank、Aska、Jonathan、佳憲等等（有漏掉的話請多包涵，都怪我年紀大了記憶不好），他們每個人都很符合 Agile 團隊成員的特色，有熱情，自動自發，願意承擔責任。

（圖十九）Agiletour Taipei 2017 的總召 John Yu

（圖二十）Agiletour Taipei 2017 的志工群

　　在 2018 年時，我們致力於 PM、RD、UX 三種角色的主題，希望能讓這三種角色的人聚在一起，共同聊聊在敏捷團隊中的成就或痛點。從不同的觀點，看到自己不知的痛點。

2018 Agenda (Ver 1.1)

agile tour 2018

09:00~09:30	報到		
	Track A: Product	Track B: Dev/Test	Track C: UX
09:40~10:20	『銀我的失敗致敬』 Tomas Li	如果可以重來，我會這樣導入持續測試 Dino Su	以使用者研究揭起一場商業模式改革 王佑繁 (LTUX)
10:30~11:10	從乙方PM的角度看敏捷 KC Liu	從工程角度，引領團隊持續挖掘產品風險 Zen	當傲才活動遇上敏捷方法 淺談遊戲化服務設計 DJ Lin
11:20~12:00	企業級產品PM的十年復盤 Jonathan Chen	當Scrum遇上Pattern Teddy Chen	UX-Driven Agile, 用戶導向的敏捷設計 David Chen
12:00~13:00	Lunch Break		
13:00~15:30	Workshop: 問題解決導向的用戶訪談工作坊 講者: Jenson Lee	Workshop: Scrum Drawing Game 2.0 講者: JUGG	Workshop: 利用顧客旅程地圖檢視服務體驗 講者：吳致宏
15:50~19:40	Open Space Technology 開放空間會議 (題目: 該如何將敏捷應用在工作中、生活中、整個企業中？) 15:50-16:20: 活動介紹與議題設定 16:20-17:20: 第一階段討論 Session 1 17:20-18:20: 第二階段討論 Session 2 18:20-19:20: 第三階段討論 Session 3		
19:50	大會結束		

（圖二十一）Agiletour Taipei 2018 的議程

雖然我們知道，來參加的人可能還是同溫層。但是我想因為角色別的不同，還是可以看到不同的面相。要打破穀倉效應，其中一種最好的方式，就是同時找到局內人和局外人，一起來研究。彼此都在做敏捷，但是彼此又不很瞭解，這樣可以幫您看到更多。

此外，2018年又是一批新的志願者，和 2017 年的大多不同，這算是敏捷社群又一次的茁壯。

（圖二十二）Agiletour Taipei 2018 新的志工群

2019 年時，主題是不插電之旅。總召 Hermes Chang 想出都不要用投影片，全部直接用互動的方式來進行。人與人之間的互動是最溫暖的，最有感受的。我想這也應該是破天荒的，應該沒有研討會可以這樣玩吧，一整個活動都沒有用到投影機，並且每位講師都願意配合，這真的不容易，很感謝 Hermes 的領導。

時間	活動	工作坊 A	工作坊 B	工作坊 C	工作坊 D	工作坊 E	工作坊 F
08:30 – 09:00	Welcome	來來來～人來要記得簽名 (30 min.)					
09:00 – 09:05	Opening	活動開始！(5 min.)					
09:05 – 09:20	Check in	人到心也要到！(15 min.)					
09:20 – 09:30	Break	休息下～選擇障礙時間有10分鐘der (10 min.)					
09:30 - 12:00	Host	Demi	Ted	Kodofish	Zen	James Wang	佳佳
	Workshop	Scrum Master 必須覺悟的事	團隊中到底需不需要 Scrum Master	揭開行為背後的思考	人生可以做什麼實驗？	敏捷的墓石 解決敏捷開發實踐道路上的障礙	溝通從了解自己開始
12:00 – 12:10	Break	這次真的放你休息了 (10 min.)					
12:10 – 13:10	Lunch	你以為只有放飯嗎？還有許多閃電talk現場引爆 (60 min.)					
13:10 – 13:40	Show	讓我們來【敏捷宣言】					
13:40 – 13:50	Break	熱情過後～你的選擇障礙又來到惹 (10 min.)					
13:50 – 16:20	Host	Michael Chen	Juggernaut	Maureen Chen	Cherie Liao	Erica Liu	Gibson Tsao
	Workshop	如何在任何文化中成功應用敏捷 Focus, Adapt and Grow	透過 Design Sprint 手法共創想法	我們一起做決定 Sociocracy 全員參與制	你的組織，有什麼問題？	敏捷是良藥還是毒？ 談敏捷方法的適用性	會議就該這樣開
16:20 – 16:40	Break	整天下來辛苦惹～這次可以不用選擇障礙痛苦斜結囉 (20 min.)					
16:40 – 17:16	Demo	走過路過不要錯過，一起把成果秀出來吧～！(36 min.)					
17:16 – 17:30	Check out	今天，你為自己帶走什麼？(14 min.)					

（圖二十三）Agiletour Taipei 2019 的議程

2020年因為疫情的關係，年初就開始構想要如何進行，最終打算以線上為主。線下的工作坊，會看情況決定是否進行。

（圖二十四）Agiletour Taipei 2020 線上活動實況

這次非常感謝 Titansoft 提供演練的場地，並且有 IT 來支援網路基礎建設，讓我們整個活動進行可以超順利的，我想能夠搞線上，又同時可以三軌來進行，這應該可以算是另一個創舉了。

寫到這裡，已經有點頭昏了，太多資料，太多回憶。眼眶微微濕潤，喉嚨也有點哽咽，沒想到已經過了這麼長的時間，這中間有這麼多人的陪伴，眾人無私的付出，成就了這段精彩的過程。旅程還在持續，更精彩的還在後頭，希望大家不嫌棄，之後能夠繼續支持我們。謝謝大家。

敏捷三叔公

用敏捷的角度來看待問題

李智樺　Ruddy Lee 老師

在敏捷越是成熟的地方，越能見到管理的被重視。如果你在書架上看到這本宣稱敏捷管理的生存指南，便迫不及待拿起來翻閱的話，恭喜你在職涯的路上又更敏捷了一步！作者在一開始就採用比較的角度，針對同樣的問題以傳統理念跟相較於敏捷的思維方式來做比較，這種比較的方式對你的敏捷思維是否上道而言，無疑將是一大助力。為何用「上道」這二個字呢？因為很多事情終歸都沒有對與錯的區分，尤其是運用在管理上。

我很喜歡書裡頭的這句話：「用敏捷的角度來看待會是怎麼樣呢？」

每當你運用這種問句來活化自己的思維時，你的敏捷程度便又前進了一步。這句話能讓你對眼前所遭遇的問題產生一種反思。好了，此時你必須面對問題，然後提出自己的答案去符合敏捷的定義，接著你就會去批判、質疑自己所想出來的答案是真的敏捷嗎？是否符合敏捷？是否犯了傳統線性思維的錯誤。這樣的自問自答，讓你得以做一回自我回饋的洗禮，而這正是敏捷思維得以進化的過程。

請經常這麼想：「我這樣做，符合敏捷嗎？」

不是快，而是適者生存

敏捷從來就不是在求快，而是在求應變快。但太多組織在採用敏捷變革的時候把目標都放在求快上頭了，希望在變革後的開發作業上能越快越好，這種想法雖然無可厚非，但「快」這件事總是在你做對了的前提之下才有意義的。作者曾帶領團隊成功的在鈦坦組織內深耕了敏捷化的種子，在這方面具有難得

豐富的經驗，寫出來分享值得大家借鏡。強烈推薦正在進行敏捷變革或考慮實施敏捷變革的人士好好的閱讀。

讓敏捷旅程持續走下去

呂毅　Lv Yi
Odd-e 敏捷教練

坦白講，我碰到的公司開啟敏捷旅程後都沒有走得特別遠，一個原因是公司的管理者對完美組織缺乏願景，從而難以持續地學習和改進。擁有願景並能親自推動的管理者少之又少，而 Yves 是其中之一。我很早就知道他們公司（Titansoft）進行的挑戰固有思維和做法的各種嘗試，但是並沒有深入瞭解過 Yves 個人的視角和思考，而這本書提供了絕佳的管道。當我收到他發給我的書稿時，初看目錄似乎是很普通的內容，讀起來才發現其中有很多獨到見解，很享受他分享的改變和成長旅程。我期待將它推薦給我的客戶和社區的朋友！

實踐敏捷的一副望遠鏡

Stanly Lau
Odd-e Agile Coach

I met Yves in 2014, he was a General Manager at Titansoft at that time. He engaged me as an Agile Coach to help the company adopt Scrum after many years of trying different processes on their own. I still recalled my first meeting with him, he asked, "How to make the teams deliver faster in order to do more, how do we increase productivity？" My hunch tells me he wasn't ready and suggested he read Gerald Weinberg's Quality Software Management Series books. We met again after a few months and I was amazed that he had finished the series and got to know he is an avid reader. He asked, "What do I need to change the environment so that the teams can be productive？".

I was honoured being invited by him to write the foreword for his first book. Over the years, his relentless pursuit for self-improvement has led him to be a thoughtful leader and enables others to fulfil their potential. This book does that through sharing his wealth of experience from the management's perspective of creating an organization that can deal effectively with change. It wasn't rosy, his journey came with waves of challenges and sweat and that is what makes this book unique.

This book introduces Agile by using the popular Scrum framework as a starting point and shares many practical tips. It provides an organization starting Agile a telescope, so that you can anticipate the possible upcoming challenges instead of being caught by surprise. You may come across parts that challenge your beliefs on how things should work. That is a good thing because it creates the need to understand distinctions, that is where learning happens. There is a saying:

Without distinctions, it is impossible to see.
We can only intervene on what we can see.
— Tong Yee

Intervene here means to change, to act. Having distinctions gives us clarity before knowing what to intervene. Without distinctions in clarifying your beliefs, we may continue to do things the same way and meet the same problems because what we think is transparent to us.

I hope you will enjoy this book and allow Yves to help you expand your horizon.

我在 2014 年遇見 Yves，他當時擔任鈦坦科技的總經理。在經歷過多年嘗試許多方法後，他希望我可以擔任敏捷教練幫忙導入 Scrum。還記得當我第一次遇到他的時候，他問到：「如何讓團隊可以交付更多工作，我們要如何提升生產力？」我的直覺跟我說他並沒有準備好，就建議他讀傑拉爾德‧溫伯格的《溫伯格的軟體管理學》這一系列的書。當過了幾個月我們再次碰面，讓我驚訝的是他已經把書讀完了，原來他是一位狂熱的讀書人。他當時的提問變成：「我要如何改變環境來讓團隊更有生產力？」

我很榮幸能受到邀請為本書寫序。在過去幾年，他執著於自我改善使得他成為一位考慮周全的領導者，這讓其他人得以發揮潛力。這本書也可以幫助每個人發揮潛力，透過分享他從管理視角來看如何創造一個可以有效面對改變的組織。不是絢麗的粉紅色泡泡，他的旅程伴隨著挑戰與汗水，這使得本書如此

獨特。

這本書從熱門的 Scrum 開始介紹敏捷，同時分享許多實用的技巧。本書提供了將開始實踐敏捷的組織一副望遠鏡，所以你可以預期可能遇到的挑戰，而不會被意外驚嚇到。你也許也會在做事的方法上遇到挑戰你的信仰的部分。這是好事因為這創造了瞭解差異的需求，所以學習才會發生。

有句話是這麼説的：

> 沒有差異，就不可能看到。
> 我們只能介入我們所看到的。
>
> —— Tong Yee

介入代表著改變或行動。擁有差異讓我們更清晰，才知道需要介入些什麼。如果沒有差異幫助我們澄清自己的信念，我們就會做回同樣的事情，因為我們看不到他們的存在。

我希望您能夠享受此書，並允許 Yves 幫助您擴大視野。

從別人的足跡學習

麥天志　Steven Mak

Odd-e Hong Kong　敏捷教練

　　初學敏捷的朋友可能都有讀過 Scrum Guide，2020 年版的 Scrum Guide 就只有 14 頁，要讀完不難，不過到應用時就發現還有很多問題不知如何辦好，網路上也有不少評語指出 Scrum 還不夠、持續集成還不夠、自動測試還不夠等等，可惜從來沒有能指出什麼才足夠。在這複雜混亂的時代，比較容易做的就是從別人的足跡學習。在這書中就有作者 Yves 從公司導入敏捷經驗中的很多心得，涵蓋了不少大家或許會遇到的問題，以及他的分析和處理，都是只有走過這旅程才能寫出的智慧。

　　很高興在 2016 年認識 Yves 並為其公司作出指導，過程中看到他們對學習和實踐的推動力，讀這本書時很快地你會發現這書還開啟了更多通往不同知識領域的大門，希望您們也喜歡閱讀這書，展開更多學習實踐旅程。

融合敏捷以及現代企業管理理論

Daniel Teng
喚醒者

作為鈦坦的總經理，Yves Lin（林裕丞）從 2014 年開始引領並主導了鈦坦公司和團隊的敏捷轉型。Yves 是華人圈十分罕見的對於敏捷以及現代企業管理理論都兼具深刻認識，同時又具有逐步將新理論方法實踐引入公司團隊、引領公司產生系列化學反應的管理者。

這本書是 Yves 對於敏捷本身、敏捷與更大範圍內的現代管理方法實踐的結合以及敏捷轉型的反思和總結。對於那些希望在敏捷轉型經歷中迅速掌握精髓、減少摔坑和走彎路的團隊來說具有獨特的價值。拜讀下來，本書價值體現著以下部分：

- 讓讀者不光有機會快速瞭解包括 Scrum 在內的各種敏捷實踐，同時從更廣闊的視角，也開始瞭解比如引導技術、教練技術、組織文化建設、超越預算、開放空間、全員參與制、組織文化等現代管理方法實踐。
- 結合鈦坦轉型的經歷，並給出了指導性建議，提出了很多常見的誤區。
- 對於那些致力於自身和組織成長的讀者給出了相當不錯的資源和方法推薦。

Quality Without A Name，永恆之物自有其特質

陳建村　Teddy Chen

泰迪軟體

部落格　搞笑談軟工　板主

我在 2014 年認識 Yves，他時任新加坡商鈦坦科技總經理。當時鈦坦科技台灣分公司需要一位敏捷顧問，因緣際會之下我通過 Yves 與幾位主管的面試，開始了一年的顧問工作。

這幾年下來，Yves 與鈦坦科技在敏捷領域的發展，早已遠遠超越我當年所提供的服務範疇，敏捷已然成為鈦坦人不可分割的一部分。今日適逢 Yves 將他多年來實踐敏捷的心得出版，相信可以提供讀者一個特別的敏捷實踐視野。

我一直信奉建築師克里斯多福‧亞力山大所提倡的 Quality Without A Name，永恆之物自有其特質，希望讀者能從本書中感受到 Yves 在實踐敏捷的道路上所體驗到的特質。

敏捷 20 年：它是如何改變了軟體開發方法和 IT 架構

陳昭斌 Jonathan Chen
雙子星雲端 AVP，前台灣敏捷協會理事
Agile tour Taipei 2018 召集人

本書的核心，就在於企業組織的敏捷化，而不僅僅是敏捷的開發方法。因為敏捷老司機們會告許你：你想要得到什麼樣的軟體產品，你就要建一個什麼樣的團隊，包括團隊成員、團隊架構。人們都以為「Team Building」只是透過吃喝玩樂來建立連繫，其實真正的「Team Building」——打造一個敏捷的團隊，是為了做出好產品、好服務，而這是真正攸關企業存亡的！

「有什麼樣的軟體產品，就要什麼樣的團隊」這可不是敏捷老司機的新發明，這其實是引申自半個世紀前所發表的「康威定律」。康威定律的原文是：

> 「一個組織的系統設計，會反映出組織本身的溝通結構。」
> Organizations which design systems … are constrained to produce designs which are copies of the communication structures of these organizations.

在過去，很多老司機是這樣來解讀康威定律的：團隊和部門會反映在系統的必要組成上，若產品系統跟不上技術問題、跟不上快速變化的市場環境，代表著你的組織規劃比較糟糕，團隊的組織結構不夠靈活，因此你需要敏捷轉型、組織扁平化，將大型團隊部門分解成更多個小而美的 Feature Team，走向人人管理的組織演變。

讓我們繼續依著康威定律的脈絡來推論，當組織已走向一個個的自治團隊，而組織的架構會反映在系統架構上，因此，原本部門組織所負責的大系統，也應該會被拆分成一個個小團隊負責的小系統，每個小系統都有其獨立性、內聚力和隔離性，小系統間有明確的業務邊界，這正是「微服務」（Microservices）系統模式出現的來由。

康威定律提出半世紀，敏捷宣言發表也二十年，何以直到最近「微服務」一詞才開始熱門起來呢？

這下就得細數當年，回顧一下科技發展的演化過程了：

- 三、四十年前的軟體開發，我們用是 Mainframe 大型主機
- 二、三十年前，才有了 Client-Server 的架構
- 2000年之後，才有了計算虛擬化和服務導向架構（Service-Oriented Architecture）

回首當年，一個遺留下的大系統，要由多個 Feature Team 共同維護，還真的不是容易的事，這就好像是「反康威定律」，因為遺留系統的技術債，反射回團隊身上，以致於團隊組織仍得遷就於遺留系統而切分為 Component Team，甚至組織架構動彈不得。

直到近十年，Docker、Kubernetes、Serverless 等容器化技術的引入，公有雲／混合雲和雲原生（Cloud Native）的興起，不同系統透過 API 串成自動化的流水線，IT 基礎架構才算是完整了微服務的基礎，能配合敏捷與 DevOps 的方法，一個個自主團隊能更方便地平行開發、持續整合、頻繁部署、不斷地迭代來驗證優化，微服務不僅是解決技術問題，更幫助我們實現長期以來一直追求的敏捷開發精神，快速地提供價值給予我們的客戶。

我真心覺得，敏捷宣言不只是引領了軟體開發的新思潮，更連帶影響了二十年來的 IT 基礎架構之發展，這些 IT 技術又與敏捷式管理相輔相成，一同推動更多企業變革。我也衷心希望，未來在敏捷管理與 IT 技術的驅動下，我們能在更多領域內，看到更多的產品服務創新。

收到 Yves 的邀請為本書撰寫推薦序，心中真是驚喜萬分。認識 Yves 多年，時常對「敏捷管理」這個話題進行交流，我也時時閱讀 Yves 的文章，關注著鈦坦在敏捷轉型上的努力與成就，如今本書發行，真的正是時候！因為敏捷已不再只是軟體工程師的事，敏捷管理的風潮，已經吹向許多產業。我真心相信，在可見的未來，所有公司都會是軟體公司，企業的流程、產品與服務將由軟體定義，軟體將會是企業的核心，「軟體正在吃掉世界」！

用敏捷許接案一個彩色的人生

葉承宇（丁丁）Dean, Chengyu Yeh
台灣敏捷協會／接案讀書會　發起人

首先感謝裕丞兄的邀請，能在這邊分享我對敏捷的心得淺見。在考上 PMP 後，我遂行 PMBoK 這專案管理聖經所提倡的專案管理思維，一路走來雖然坑坑洞洞，也算走得勉強順利。但這樣渾渾噩噩地走了幾年，不禁讓我思考是否有更好的方法／做法，可以讓專案執行得更有效益（順利結案）。和裕丞初次認識是 2016 年在仁傑兄的一場敏捷議題討論會上。回想當時遇到的他，對人十分客氣，舉手投足充滿著敏捷思維。人生路上能有緣遇到這樣的良師益友，讓我在敏捷的學習以至於實作上獲益良多，深深感覺我是個非常幸福

的人。

這幾年來，如這樣遇到了許多為台灣敏捷努力的朋友，也持續地努力幫助許多夥伴來深刻地了解敏捷。但卻也常常聽到，我們台灣企業用了國外的敏捷會卡卡且格格不入，有沒有可能是我們華人文化的特色所以不適合敏捷呢？有沒有可能是我們搞錯了動機？老實說台灣的市場環境特別，接案公司約佔七八成。而接案的目標是以專案結案為主，因為結案才有錢收。專案結案的目標就在那邊，其實不管用什麼方法你就是要在 Deadline 前完成目標／任務。然而常見的敏捷開發方法大都用在產品開發。

因為是產品開發，所以可能有許多的不確定性、市場變化、人員異動等議題，面對這些議題要如何解決？所以有些專家提出了敏捷（Agile）的概念，可以透過週期式（sprint／iteration）的機制來驗證我們產品的可行性。但這兩個做法的方向其實不太一樣，一個是確定的工作內容（Project），一個是不確定的產品／商機（Product）。接案公司的敏捷和產品公司的敏捷，基礎上的本質是不同的。我們常見的敏捷是 Scrum，他其實是用來解決產品開發上的溝通問題，透過sprint（衝刺）來 Daily 檢視我們的狀態，讓專案的成員專注在 Sprint Backlog（衝刺目標），並在當下 Sprint，透過展示來確認／驗證我們的產出（產品）是否符合利害關係人（Customer／Buyer）的期望／需求。倘若用專案的角度來看，時間與費用是當初黑紙白字談好的，若這時候的驗證差異過大，你可是不能和他說，錢我照收，但不好意思，東西我給不了你……在這邊我們其實是不太有能試錯的機會（而敏捷其實是有種試錯的精神與概念）。

個人認為敏捷的基礎是來自於日本的品質管理與控制。所以若想在接案工作用敏捷，建議可以用看板（Kanban）來操作，因為看板和我們的工作流程息息相關，除了可以追蹤工作任務現態外，也是一種風險管理的做法，透過看板可以同時的管理資源與工作的分配。所以，請不要一直誤會 Scrum 可

以用一半的時間，來做兩倍的接案，因為你的 Deadline 就在那。請善用對的工具，才有機會發展彩色的人生。

讓引導和教練為敏捷裝上翅膀

曹昌樺 Gibson Tsao
台灣敏捷協會理事

從 2011 年接觸實踐敏捷至今，算一算也已過了十個年頭。

回頭看，旅程中嚐到的各種挑戰的苦澀與果實的甜美，彷彿在我的味蕾裡，再次湧現。

這些年在大大小小的組織裡試著推動敏捷的轉型，真正體悟到，因時因地制宜的重要。一開始在幾千人的外商公司裡，經由公司高層的推動，開始了敏捷的變革。當時挑選的先鋒團隊，本身就有非常高的技術能力、溝通質量，及成長與自我實現的思維，針對公司產品背後已經改到動彈不得的陳舊架構，以置之死地而後生的姿態，成功的建構出富有彈性快速面對未來變化的產品線及靈活的組織架構與流程。團隊也由一兩個 Scrum team 的成功經驗，以繁衍的方式，拓展到跨國數百人的大型敏捷。這樣的組織裡，創意源源不絕，生意盎然。其中的關鍵經驗，我想，跟其原生多元豐富的人員組成及成長性思維有著很大的關係，如虎添翼。在這樣的組織裡學習敏捷，就像是順著風航行一樣，精力更能專注在要去哪裡、如何享受這趟旅程。這些人，帶出了那樣的風景。

接著，我到了小而美的新創公司，又看到了另一種美好。這個美，是那種胼手胝足求生存的樣貌，每天在深海裡潛水，好一陣子冒出頭來吸一口氣，接著又繼續下潛。這個組織沒有大公司的豐富資源，一切更得專注在最重要最吸睛的事情上，並且要快速又有一定質量的產出來展示給客戶，成功取得募資。我看著那些充滿熱情，可以在一些大公司的步調裡舒適過生活的夥伴們，選擇在這樣的環境裡，面對更高的挑戰，讓自己有更高更快地學習成長鍛鍊，在面對著有時一兩天就翻掉前版的反覆運算的狀況，仍然自主地在深夜裡，高唱著戰歌，一起選擇跨越挑戰，總讓我感動得一起熱血。在這樣的組織裡，我遇見了在直接面對生存的時刻，敏捷帶來的實際影響：團隊戰力的優化及價值導向帶來的聚焦和搶攻灘頭堡。俠客和寶劍，有了完美的搭配。

而後在中型數百人及資源相對豐富的企業裡，又有另一番光景，這也可能是很多人會遇到到場景。可能是組織架構已經完整，習慣的流程已經定型，各部門各司其職或各自為營，有些事情就這麼的動著，想要突破現狀土法煉鋼試了幾次後，因為成效未顯現，而漸漸失去變革動能，並且開始習慣於各種日常遭遇。在這樣的環境裡，先看到了系統，單點突破已經無法撼動既有迴路，各個環節都交互影響著。嘗試了全盤的敏捷轉型規劃，從組織與流程切入，再分階段從小團隊擴大到跨團隊的實作，乍看都在軌道上走了，但仍然遇到了瓶頸，一股隱性的力量在拉扯，那是什麼？原來是人心啊！原來隱藏在冰山下面的各種期待與渴望，沒有被聽見。在這段時期，我接觸了引導、系統思考、行動學習、正念、NLP、教練、薩提爾……的學習，終於覺醒，我們每天合作的，是「人」！從原本專注在產品、流程、組織架構的著墨，走到以人為核心，發現深藏而真實的阻礙，排除後而釋放其更高潛能。

更落地地說，「引導」建立了對話的空間，人們在其中看見彼此，看見團體動能的流動與系統中的交互影響，看見過去、現在、未來，看見方向，然後彼此扶持一起前進，無論走得多快多慢，我們一起走。「教練」則是讓每個人找到自己，看見一路成長以來所習得的情緒、思維、行為模式，釋放慣性的綑

綁，重拾選擇，獲得自由，發揮自己無法想像的潛能。在最新版的 Scrum Guide 裡，也明確地寫出了 Scrum Master 以引導與教練的方式，去協助團隊成長與服務組織發展，這些軟技能不是形容詞，而是實際可以探索與學習的。當你想推動變革卻力不從心，摸不著頭緒到底哪裡出了差錯，而開始相信敏捷無用論時，它也能帶你打開那扇窗，看見全然不同的視野，找到可能性。我看見了那個美好，也看見了自己。

正在閱讀這本書的你，不論你在敏捷道路上的什麼位置，如果你曾有的熱忱，因為推動變革而遇到挫折使你感到心灰意冷，我誠心的建議是，如同《高效能人士的七個習慣》裡提到的，先專注在你能觸及的影響圈。你的能量有限，將精力投注其中，慢慢影響幾個戰友，讓他們與你一起共振，而你們累積起來的能量，再向外一圈一圈的擴散出去。我見證了這樣的美好，而那加乘之後的共振能量，甚至不用從你發出，此起彼落的正向轉變的發生，整個宇宙都會帶給你，令你驚喜連連。別忘了，如同 Yves 提到，HR 肯定會是你影響圈裡，更能讓你事半功倍的得力夥伴，這趟旅程裡，記得喚上他們，我也有幸有這樣的夥伴同行，持續發酵中。如果你剛上路，也不用太多顧慮，未來路上的各種風景，對你都是珍貴的學習，都是滋養。

很感謝 Yves 這次的邀請，讓我有機會再整理自己的來時路，也藉此能分享一些心得給敏捷路上的同好們。台灣敏捷協會開始站穩腳步，持續茁壯著，團隊裡的夥伴們，也都會在未來的日子裡與你同行，將我們的經驗分享交流，並且一起探索更高的可能。

增加網路效應，破除傳統的路徑依賴

游智皓 Howie Yu
阿貝好威
KKStream 資深產品經理

收到 Yves 請我寫推薦序的當下，感到非常榮幸也非常惶恐，因此遲遲無法動筆，正當我還在苦惱不知道該怎麼下筆時，馬上又收到 change request，希望我改成貢獻一篇學習敏捷的心路歷程，而且離 deadline 只剩下幾天了！這不就是在敏捷路上一直遇到的狀況嗎——計畫永遠趕不上變化，需求總是來得又急又趕。

藉著這次機會，讓我再次回溯了這幾年來學習敏捷的經過和文章，發現自己的核心價值觀，用一句話總結就是：「沒有最好，只有更好，一定還會有更好的方法可以持續改善。」

而這樣持續改善的精神也與 TOC（限制理論）中聚焦五步驟類似：

1. 找出系統的制約因素（瓶頸）
2. 決定如何解決系統的制約因素
3. 根據上述的決定，調整其他的一切
4. 把系統的制約因素鬆綁
5. 當打破了原有的制因素，就會產生新的制約因素，再次回到步驟一

不過要能有效找出系統中的制約因素，就需要用到許多系統開發以外的軟技能，而且會發現需要改善的範疇可能從團隊延伸到公司其他部門，甚至最終也許要改變整個公司的文化。

所以一開始，獨自學習和在公司內推廣敏捷是孤單且痛苦的，只能上網研究國外大師的方法，但是又會懷疑是否可行，直到三叔公（David Ko）成立了台灣的敏捷社群，讓我們這些先行者有機會抱團取暖撐下去。而原本以為敏捷 & Scrum 差不多就是這樣的時候，我們又陸續的遇到了 Daniel 和 Yves，從此敏捷又進入了全新的紀元，開始橫向連結，從單純的敏捷開始跨界到了其他領域，包括 ICA 的引導、系統思考、薩提爾，甚至正念冥想⋯⋯

這些都是可以用來幫助團隊更加順利地實踐敏捷的技能，而我們這些受惠者也漸漸從使用者變成推廣者。

常有人問，為什麼我們要這麼努力地推廣敏捷文化呢？不是自己公司搞好就好了？何苦到處找人分享和討論呢？為什麼要辦那麼多活動呢？在探討這些問題前，我們先來瞭解兩個經濟學的名詞：網路效應與路徑依賴。

網路效應

網路效應也稱網路外部性，是指產品價值隨著購買這種產品及其兼容產品的消費者的數量增加而不斷增加。最常見的例子就是電信系統，當人們都不使用電話時，安裝電話是沒有價值的，而電話越普及，安裝電話的價值就越高。

路徑依賴

簡單來說就是一種基於沉默成本和損失厭惡的心理狀態產生的行為機制，一旦人們做了某種選擇，就好比走上了一條不歸之路，慣性的力量會使這一選擇不斷自我強化，並讓你不能輕易走出去。

有個路徑依賴的實驗故事大家應該都聽過：

實驗人員將 5 隻猴子關在一個籠子裡，並且在籠子中間吊一串香蕉，只要有猴子伸手去拿香蕉，實驗者就用高壓水柱教訓所有的猴子，直到沒有一隻猴子再敢動手。然後開始用一隻新猴子替換出籠子裡的一隻舊猴子，新來的猴子不知這裡的「規矩」，竟又伸出上肢去拿香蕉，結果觸怒了原來籠子裡的 4 隻猴子，於是它們代替人執行懲罰任務，把新來的猴子暴打一頓，直到它服從這裡的「規矩」為止。試驗人員如此不斷地將最初經歷過高壓水柱懲戒的猴子換出來，直到籠子裡的猴子全是新的，但沒有一隻猴子敢再去碰香蕉。起初，猴子怕受到「株連」，不允許其他猴子去碰香蕉，這是合理的。但後來人和高壓水柱都不再介入，而新來的猴子卻固守著「不許拿香蕉」的制度不變，這就是路徑依賴的自我強化效應。

敏捷轉型的困境

那這跟推廣敏捷有什麼關係呢？敏捷轉型通常會遇到兩種力：

● 路徑依賴產生的阻力
● 缺乏網路效應的拉力

先米談路徑依賴所產生的阻力，大多數的組織因為過去時空背景的因素，都選擇與習慣了 water fall 的專案管理方式，這是一種根深蒂固的概念，而新進員工因為前輩就這麼做，雖然覺得怪怪的，可能會遇到很多問題，卻也不敢表達意見，就跟被高壓水柱教訓的猴子一樣，或者 water fall 習慣了，很好理解，也很好施行，雖然結果可能不好，但是因為慣性驅使也不會想改變。

一旦公司文化被 Lock-in 後，雖然外界還是存在各種選擇和可能更好的方案，但是大家通常會選擇性的忽視，或是不想去面對，那到底要怎麼 un-locking呢？

　　其實路徑依賴是有解的，也就是當轉換的利益遠大於原始的方案時，大家還是會願意改變的，簡單來說就是要有足夠大的誘因和拉力，這時候我們就可以來談談網路效應，如果組織中只有一個人實行敏捷其實是沒有效益的，如果再擴大一點推行到某個 team 實行敏捷成效也是有限的，因為在組織中還是得跟其他 team 甚至是別的部門合作，只要一走出這個 team 的範圍，就會同時遇到巨大的阻力，以及不夠拉力（效益評估）的雙重打擊，更不用說公司與公司之間的合作了，如果你的公司跑敏捷，你想跟對方簽敏捷合約，但是合作公司卻還是跑 water fall，那結果也是事倍功半……

　　而台灣敏捷協會的各位大大們也是基於這個道理努力地推廣敏捷，目的就是希望就跟推行電話系統一樣增加網路效應，當越來越多人開始使用敏捷開發，當越來越多人對敏捷轉型有興趣，那個拉力就會越來越強；當越來越多公司使用敏捷開發，你的公司還在用 water fall 就會被應徵者鄙視婉拒；當越來越多公司都用敏捷產生快速適應市場的能力，你的公司還再用 water fall 就會趨於劣勢而被淘汰。

　　所以推廣敏捷文化的組織和活動並不只是為了取暖，或是單純讓你知道你並不孤獨，重點是為了增加網路效應，進而破除傳統的路徑依賴，當越來越多火種產生，最後才可能產生星火燎原的威力。

資深PM的敏捷初體驗

企業敏捷教練　徐柏峯

Percy Hsu 老師

　　我原本在科技公司的開發部門工作，當時我的專長是「專案管理」，不管什麼案子，信手拈來就是工作分解結構（Work Breakdown Structure，WBS），隨手就畫出甘特圖，每次開會就拿出「風險登記冊」，確保同仁可以經過我的詳細規劃，一次就把產品做到位。只要是我的專案，一定會規劃出詳盡的檔，一定要確認過所有的需求，我不但定期用實獲值呈報進度，還用燈號呈現個案狀態，是個稱職的「專案經理」。但問題是，幾乎每個專案，在寫文件的階段都會順風順水，等到產品實際亮相的時候，卻會引發一連串的「需求變更」，而且在專案最關鍵的收尾階段，業務單位（或甲方）提出的缺失改善清單，取代了象徵專案管理的紅綠燈、百分比和甘特圖，我們「被迫」把進度報告的頻率，從每月改成每週，同仁也經常「被迫」到用戶端駐點，每次覺得做好的東西，都必須實際看用戶怎麼操作，再根據回饋意見來修改，更氣人的是，這些「不合理」的要求，還真的很有效。

　　經過將近 8 年的「專案管理」人生，我在 2009 年間，因緣際會接觸到敏捷方法，決定用自己管理的專案，實驗敏捷的工作方法，一開始，我以專案經理兼 Product Owner 兼 Scrum Master 的身分，做了三個改變：

　　第一、我先把專案中所有還沒交付的需求，在吸鐵便利貼上寫出關鍵字，然後貼到大白板上，如果同一組人手上有多個專案，每個案子就用一個顏色代表，這個大白板，代表的就是「我們欠客戶的」東西，這些東西未來可能要還，有些可能還會改，我們全放在一起，稱為 Product Backlog，為了避免所有需求都一樣重要，我負責把所有需求依照「不能出包」的順序，一張一張排好。

第二、團隊以一周為一個反覆運算（Sprint），每週五下午都根據從客戶端實際操作取得的回饋意見，規劃未來一周的工作重點，由於團隊同時負責好幾個案子，為了避免同一個時間開太多戰線，我特地找了一個較小的白板，上面畫好星期一到星期五的格子，讓團隊成員透過討論，從 Product Backlog 中，按照我排的優先順序，一張接著一張拉到小白板上，如果星期一的工時滿了（就是聽到同仁發出咦的聲音時），這個需求就貼到星期二，依此類推，這個小白板代表的是當前團隊的分工，稱為 Sprint Backlog，每個反覆運算結束，我們都把小白板清空，還沒做完的就先貼回大白板，由我來決定要不要在下一周接著做。

第三、每天一上班，團隊就在小白板前開例會，討論當天決定怎麼分工，例如上午誰要一起去客戶端上線，下午誰和誰幫忙跑測試資料，例會結束，就開啟一天的工作，只要有工作完成，團隊就要更新 Sprint Backlog，並且記錄從用戶端收到的反饋。

簡單的三個改變，引發很大的迴響，原本同仁認為每天開會很浪費時間，對於每週都要交出成品，覺得非常反感，在我的「強烈勸說」下，這些討厭的事，變成固定的程式。團隊花了大約半年的時間，內部吵了很多架，有人理念不合出走，有人因為我們「好玩」而加入，我們陸續演變出很多新的做法，變成公司的第一個敏捷團隊，並且完成了很多次「不可能的任務」。而我這個原本開口就說如質、如期如預算的「專案經理」，就像做惡夢醒來一樣，再也不想回到以前那個用甘特圖、紅綠燈和進度百分比來自欺欺人的世界。

後來，我持續受邀於不同的產業，幫忙從無到有打造敏捷的部隊，我的客戶中，有的團隊在公家機關的標案用敏捷開發，寫下臺灣的第一個成功案例；有的團隊用敏捷方法，推出了申辦量破紀錄的神卡；還有的公司從高層開始轉型敏捷，在 2020 年的抗疫紓困案中，寫下承作全國 4 分之 1 業務量的傲人成績。這一路走來，讓我覺得備感榮幸，也很慶幸，還好，當初有從「專案管理」的夢裡醒過來。

補充說明

　　Product Owner 就是敏捷團隊的產品經理，簡稱 PO，主要職責是在資源有限的前提下，確保團隊交付的東西能創造做最多價值；Scrum Master 類似於運動競技中的教練，主要職責是促成能夠自主做決定的團隊。

　　PO 兼任 Scrum Master 的角色，很容易走鐘成傳統的主管模式，請盡量避免。

我對於「敏捷」與「Scrum」的感覺——從新創到成爲一位專業敏捷講師

李奇霖　Tony Lee
Professional Scrum Trainer

我對於「敏捷」與「Scrum」的感覺：以下這故事的前半部，我會刻意的避開所有的敏捷、Scrum 專業術語，來敘述我對於敏捷的認知。

自從學校畢業後，我有幸經歷了不同大小的國際企業。雖然每個公司組織都不一樣，但是都有著持續改善的文化，並且有落地的實踐。其中的共同點包括一致的團隊目標、團隊隊員被充分授權去判斷當下的情況並決定如何更有效地執行任務，和唯一不變的是改變……。這個經歷對我影響深遠，雖然當時「敏捷」這個詞還沒有流行起來，但是我幸運地參與在不同大小的高效能團隊的管理環境中，吸吮身在這文化中的體驗，建立了我對世界的認知。

2009 年，我在一家新創公司，當時我們公司需要解決的問題像山一樣多，其中包括市場開發、軟體開發、研究、客服、營運、人事……每一天都有突發狀況，若是把突發狀況比喻成火，放眼看去，整個局面就是一片火海！我們沒有選擇，必要的必須先救！當時時間的緊迫性不容我們從容的計畫，大部分時候是以直覺判定哪個必須做，就立刻去做，先撐下來。對於「撐下來」，我們的概念是先救急，並且一定要以最短的時間把品質穩定下來，不要讓錯誤重複。我們對於「品質」的要求，不只是在產品開發的規格，我們認為全公司的人、事、物都應該合作解決問題與持續改善。我們注重跨部門的溝通、合作，和人與人之間的關係。

記得有一次 CEO 在外做簡報的時候，發現功能跟他理解的不一樣，回來之後大發雷霆，脫口問候大家的祖父母。我們負責產品開發的這一方，在直接

而有禮的回問老闆後，提出證據與質疑是負責銷售的他沒有做到事先模擬練習的責任。當下的大家情緒是火爆的，但是第二天雙方不約而同的、理性的互相道歉後，同意建立一個評審機制，來幫助提供團隊瞭解產品和給予意見的機會。因為產品跟每個部門都有直接或是間接的關係，每個部門都有權利也應該參與並給予意見。之後，不但類似的「意外」再也沒有發生過，這個機制更是協助了跨部門的合作、激發了許多新的創新點子。

持續改善顧名思義是一直不停地進行的，我們當時的挑戰非常地多，類似的例子不勝枚舉，幸運的是當時團隊間彼此有信任與問責的態度，這奠定了我們接下來成功的基石。六個月後，我們團隊提升了營運的品質，開始不需要用週末解決突發狀況；一年後，團隊做到了每個兩個星期的反覆運算可以在星期五早上發布，下午在陽台一起喝啤酒聊天。在這風光的結果背後，我們經歷過數次因為發布流程不完善造成的問題，每個人不眠不休地工作接近了 30 多小時。當下對於事情的專注與那全力以赴的態度，幫助解決了難題的同時，堅定了隊員對於改善根本問題的信念，也成就了團隊經驗的累積。

2017 年，在接觸了 Scrum.org 與研讀 Scrum 指南之後，我產生了錯覺——那 Scrum 指南裡面的內容似乎是在敘述著我們的過去的經歷。裡面的經驗主義、原則（透明性、檢視性、調適性）、價值觀（承諾、專注、勇氣、開放、尊重）與規則，有效地提供了文字幫助我形容什麼是我對於專業的工作與組織環境的期待。

過去，我們沒有選擇，必須以適者生存的方式與團隊一起成長，靠的是當下對於專業態度的解讀與生活常識的認知。

現在，我理解了 Scrum 指南在敘述什麼，知道如何利用 Scrum 框架來分享過去的經歷，與幫助他人站在巨人的肩膀上，學習借力來站得更高、看得更遠。

Win or learn. You can't lose.

柳丁
A made man in the Agile Mafia

時間是 2016 年春節大年初四清晨，習慣晨跑的我從外運動回家，發現 Skype 有好幾通未接來電，還在想年前正式上線的版本是否出了問題，正想要解鎖手機一探究竟是誰的時候，incoming call 又來了，原來是 20 年的好友 Matt V.。

Matt 自從 2008 離開當時與我共事的軟體企業後，轉入了一個跨國大型非營利組織。Matt 告訴我，他所服務的單位，在他與幾個同盟朋友努力推廣之下，長官們終於決定給 Agile 轉型一個機會。在知道我在這方面也一起探索掙扎了一段時間後，他現在急需一個在世界另一邊的朋友，能夠一起加入他的陣線，負責大東亞區轉型導入與前期 coaching 的職責。

我還記得當下非常地振奮也惶恐。高興的是：終於有機會參與規模化敏捷轉型的實踐，擔憂的是，自己的教練經驗止於最多同時兩個團隊，並且非全時，而是與另一位資深教練 Ravi C. 互相支援。

從 2013 年中期投入實踐敏捷起，直到 Matt 的請求為止 ，個人累積了兩年半的敏捷經驗，其中前 17 個月，其實是在試著找出敏捷之精神意涵。眾所皆知，敏捷成功條件之一，在於 Be Agile，而不是 Do Agile 。但真的走過這條路的人，也都會同意這句話：Fake it until you make it。就像嬰兒開始爬行、走路，甚至是開口說話，都是要從模仿學習開始，照章行事，按表操課；熟練之後，漸漸地才能明瞭字詞的意義，也能抓到走路省力平衡，甚至開始拔腿狂奔的訣竅。不可能還在襁褓中的小朋友突然就什麼都會了，也都抓到精髓了。既然我已經知道用字遣詞的規則，語氣的抑揚頓挫，也瞭解了走路的正確

舒適姿勢，並且可以跑步避免運動傷害，為何不抓緊這個難得的鍛鍊成長的機會呢？於是我爽快地答應了 Matt。

我無法預期的是，接下來所接受的震撼教育，也是個人對於敏捷真義得到最深感受的經驗。面對的施行組織是傳統階層式結構、職能分區以及瀑布導向；同時因為跨國的事實，所以各單位間，有著縱向與橫向的各種不同連動從屬關係。再加上非所有軟體系統都是內部開發，到處可見外部相依性以及對特定資源的依賴性，同時也要面臨所有產品整合與否的各種挑戰。

我們幾個人大張旗鼓地開始著手進行：從部分組織架構的重整，加上高層支持且配合安排的各種人員的思維教育訓練，配合上各種生動活潑的團隊互動的工作坊，讓擔任 Coaches 及 Transformation Agents 角色的我們，的的確確地在前期感到夾雜著疲累的高度成就感。每天團隊都有站立會議，反覆運算規劃與審查加上回顧，也都在組織中全面展開執行。

就這樣自嗨麻痺地過了 9 個月。

時間到了，高層以及外部主題專家一同審查敏捷導入轉型的成績，過程中我們感受了一股嚴肅且冷酷的氣氛；調查結果發現了幾件事實：

1. 團隊組成是組織指派的，也許在表面上，展現出來一個小團體溝通效應佳的假象，但是團隊合作經歷的磨合期過久，也許有很大的改善空間。

2. 團隊跨職能條件上，不論再怎麼努力，受限於組織內部規範的政策方針，團隊成員技能的綜合體並沒有辦法完全涵蓋所有必要的職能。例如說，程式碼審查一定要交付專責的 offshore 單位執行，

所以每一個反覆運算結尾的增量也沒有立即交付的可能性。

3. 團隊自我組織的特性上，資深成員習慣舊有的行事模式，往往處於被動等候差遣之心態，能夠展現的主動參與度，大大落後於新進人員的表現。

4. 在通識專才培育養成上，幾乎毫無具體成效；評量結果顯示超過 9 成以上的成員還是只專精於自己擅長領域，即使我們像傳教士一樣持續地宣導 T 型人才的優勢，但人們主動分享知識與互助的傾向還是偏低。這樣的形況，也直接反應在交付前導期上，並無因導入敏捷，而有著大幅的縮減或改善。

5. 在工作進度上，常有隱藏停滯不前的工作項目，也因當下無任何可伸出援手且具備相關技能的人員處理，導致於原本以為因導入敏捷而避免的各種浪費，用另外一種形式浮現而已。對於工作項目的可能完成時期，也沒有一個令人安心信服的預測值可以參考，造成用戶常常在枯等新功能的交付。

6. 在跨團隊協調上，常常出現彼此互相推諉究責的情況，同時在工作優先排序上，多頭馬車讓人無所適從，即使大家心裡都知道應該有一人負最終全責。

　　這些結論，讓當時的我深刻明確感知到：敏捷從小範圍的團隊做起，比起採用規模化方式導入企業組織，單純多了。也深深感覺到，個人敏捷基本功力其實還很薄弱。原來這九個月來，我們「做敏捷」做得很成功，卻離「真敏捷」還很遙遠。

我們 7 個負責導入成敗的小組，針對這些經驗，做了一番檢討與反省，也提出了一系列的建議與解決方案：

1. 成員歸屬上，讓大家可以自己選擇為主；表列出開發產品所需之必要職能技巧，提出建議相對成員數量，藉由遊戲互動的方式讓大家自行決定要參與哪個團隊，如此一來可以相對地降低團隊成員經過風暴磨合的時間。

2. 向組織主事者展現 Water-Agile-Fall 與 Agile 的實質差異與優缺點，以及各種因應策略，以獲得高層支持，打開修訂政策與解除限制的可能性，以期達成 End to End 價值交付的最佳條件。

3. 在人員考核部分，獎勵與表彰制度要重新檢視調整，目標是促進成員樂於團隊共事，而非鼓勵英雄主義；要瞭解任何獎賞，都是刺激其它人群起效法模仿的一個重要因素，所以我們要鼓勵團隊協作，傳統方式一定要修訂。

4. 在人才培育養成上，觀念也需要徹底質變：把人才當作是組織的資產，而非隨時可替換的資源。各個團隊領導人要花時間與旗下成員共同探索個人與團隊及組織之共同目的，以同步每個人的向心力及強化團隊的凝聚力。

5. 統一導入看板視覺化的工作管理模式，並且橫跨各職能畫出欄位，讓每一個開發的功能特色之實際狀態，以全貌透明地展現在所有人面前，加上 WIP 的運用，配合上產能的計算，可以提出相對性可供參考的前導預測值。

6. 因每個組織都有其固有的複雜性，先縮小原導入敏捷的規模，減少團隊數量，配合產品範疇的修整，以穩定敏捷團隊的表現與成績為優先，再回頭探視規模化的必要性。Small experiments first。

我們帶著這些 Actionable Items，與 Matt 長談後，決定開始調適我們的作法。

可惜的是，不到三個禮拜，Matt 傳來了消息，所有內部開發作業終止，改為外包制。

知名南非民權運動領袖曼德拉曾說過：「I never lose. I either win or learn.」

也許我們註定沒有機會把改善措施付諸實踐，但個人認為，在敏捷道路上，沒有失敗這個字眼。只要能夠從不成功的經驗中成長學習，修正調整做事的方式，都是值得珍惜肯定的。

這十個月也是個人在敏捷圈內載浮載沈中，最有價值的時期。

嗯！忘了提，沒有好的工程實踐強化品質，以上經驗再怎麼寶貴，到頭來也都是假的。

Scrum Master 的成功，在幫助別人成功

王泰瑞　Terry Wang
Agile Community in 內湖

Yves 說，一定要寫一點個人心得，所以我就寫了。

敏捷到底是什麼？

敏捷宣言的內容就是敏捷了，裡面有四個價值觀跟十二個原則。

可是想像一下，假如你去問一個敏捷講師：敏捷是什麼？他默默的開始念「Individuals and interactions over processes and tools……」等等，你可能也會覺得他是瘋子吧？於是每個講師都用自己的簡短的話來解釋敏捷，十個講師可能會有十一個解釋，所以我要提醒大家的是：不要忘記了原本敏捷宣言上寫的那些東西。

Scrum 是殺人技，不然就會變成太極宗師的閃電五連鞭。

是的，我們都沒辦法用 scrum 殺人啦，冷靜點。這句話用了兩個哏，一個是一部電影，叫「一個人的武林」，另一個哏是「閃電五連鞭」。

這本書應該是一本長賣型的書，不知道這兩個哏的新讀者，請自己去 google 吧，在這邊向您說聲不好意思。

承上，請從自己開始敏捷。

這些年，我們看到太多人抱怨職場的環境了，比如抱怨老闆、老鳥同事、菜鳥同事、PM 同事、隔壁部門的同事等等，或是 scrum 就是站著開會、就是隕石式開發、我們的 scrum 跑得跟書上講的都不一樣等等，讀者一定看過相當多靠北工程師的貼文是這些主題。

如果可以，我想問這些人的是：為什麼你不願意出來做一些事情來改變一點點情況呢？或是，你自己做得如何呢？ unit test 都有寫？自動化測試都有做？ CI ／ CD 等等的系統都架好了？可以 Work ？或是，沒有 Scrum master 是嗎？那你為什麼不是那個 Scrum master 呢？

再承上，遠離那夸夸其談的老師（與社群）。

敏捷轉型這種事，與其找滿口經綸、西裝筆挺的「老師」，不如找從屍體堆中爬出來的、滿身是傷的「殘兵」。

這位殘兵可能頭髮亂亂的、T-shirt 鬆鬆垮垮的，看起來很不起眼。可是我建議讀者，去跟他一起討論你的敏捷，去理解他到底經歷過什麼，有沒有可以給你的建議方向或做法？

再承上，假如要拿認證的話，要清楚知道你為什麼要拿。

台灣現在的環境已經有很多 Scrum 與敏捷的課程可以選了，比起我剛接觸敏捷的時候好太多太多了；我們可以看到市面上有國際的 Scrum Alliance、Scrum.org、Scruminc 的課程，還有本土的泰迪軟體的課程等等，都是很不錯的，能幫助學員快速上手 Scrum。但是，這些認證不會幫你加薪。他只能證明你上過課、繳了錢，所謂的敏捷認證只是一份收據！

因為敏捷跟醫師、會計師執照不一樣，不需要拿到那張證，才可以做相關的業務。

認清了這點以後，我的建議是：認證課程應該是你遇到了執行上的困難，所以你想找個人問，於是你去上這些課程，來幫助你自己。對了，記得還是要避開夸夸其談的「老師」喔！

我看到最糟糕的狀況是：有的人完全沒有敏捷經驗，沒有待過敏捷團隊，沒有導入過敏捷，他只是唸了很多書，然後就「裸考」某些認證考試，還真的過了耶！我每次看到這些人把這些經驗寫出來，就很懷疑這世界是怎麼了。

試著不要去改 Scrum。

有人說，我們不開 retrospective，或是我們沒有 Daily Scrum 之類的，反正產品還是如期上線，還是很成功等等。

每次聽到這些話，我都覺得有一點可惜，明明那個團隊、那個產品可以更強大、更發光發熱的，有點類似看到灌籃高手裡面的三井壽，跑去當了幾年小混混的感覺，你就會覺得很可惜。

可是，唉，好吧，夠用就好了，殺那隻雞不用這麼厲害的牛刀。哪天如果真的要殺牛了，那就 good luck 了。

如果你的團隊或公司，真的無法那麼敏捷，怎麼辦？

我發現，其實破解了各部門或各職能的穀倉效應，把這「一群人」變為一個「團隊」，其實就會有很大的提升，會很不錯的。

不過光是這樣，就超級難了吧。

最後一點，如何定義 Scrum master 的成功？

我的師父 Daniel 說：「 Scrum master 的成功，在幫助別人成功。」

我剛開始根本不懂，但過了幾年，我現在懂了，你呢？看得懂嗎？要去上課，就是要挑這種的，一句話，讓人悟了好幾年。

以上幾點，是我這幾年玩敏捷、擔任專任或兼任的 Scrum master 的一些想法跟建議。這幾年下來，一路跌跌撞撞，背上都是箭，跟刺蝟一樣，希望藉著這次機會，把這些東西寫在這裡，或許能幫助一些人不要被射箭。

看到的人，會幸福吧？

記得沒錯的話，跟 Yves 的初見面大概是 2015 Agile Brewery 的社群聚會。那天，如同其他研討會一樣，主講人分享完內容後，開放現場與會者問問題，在我後面幾排一個與會者舉手問了一個問題，內容大概是：你們在選擇規模化的時候，是什麼原因讓你們選擇了 SAFe 而不是 LeSS ？

2015 年，台灣的敏捷才剛萌芽，很多人連什麼是敏捷跟 scrum master 在幹嘛都不清楚，而當時的我對 SAFe 與 LeSS 也只是稍有瞭解。這個問題乍看簡單，但其實問到了點上，回頭一看，這個提問者能問到這麼核心，真是不簡單，台灣敏捷社群真是臥虎藏龍。

後來過了幾年，我們比較熟了，才知道原來這個提問者就是 Yves。

嚴格說來，這個初「見面」，比較像是單方向的：他沒見到我，但我見到了他且對他有深刻的印象，就像高中時在福利社看到校花一樣⋯⋯喔！對了，關於 SAFe 跟 LeSS 的簡短介紹也可以在這本書中找到。

後來，敏捷逐漸在台灣幾個公司發芽生長，而 Agile Brewery 在那次之後只辦了另一次活動就消失了，但其他社群和各研討會逐漸茂盛起來，我跟 Yves 有了更多的緣分，在多次的社群分享或是課程上，我們都會碰面，也會一起聊聊，他人很好、很親切，親切到我不知道在面前的這個人是鈦坦科技的總經理，真是慚愧慚愧。但話說回來，其實真的很難得看到一間公司的總經理願意跳下來一起變敏捷，而且還得到了這麼大的成功。

我們都知道，在公司內由下而上發起敏捷變革的人很多，可是大部分都陣亡了；而我猜真正有權力能夠發號施令且能做敏捷變革的主管、甚至是總經理，應該也是不少的，但可能很多最終也都失敗了。

真的能夠把敏捷轉型做出一些成績的人，一定都是堅持著信念，不斷努力，或許再加上一點點運氣吧？

因為啊，敏捷轉型從來不是一件簡單的事，尤其是牽扯到整個部門、組織或是公司，更是難上加難，這不是去上上課、拿拿認證、跑跑社群學得到的，也絕對不是扮家家酒的甘特圖、樞紐分析與公司未來十年展望的一本白皮書等等，敏捷轉型是真刀真槍的面對多變的市場與用戶，甚至公司的生死存亡很有可能就在此一著。

這些事情，大部分的壓力都在導入敏捷轉型的人身上，考試不會考、沒有這種認證，社群也不會深談這個。

所以我對書中「企業敏捷化轉型」這一章特別有感，可以讓讀者避開很多的坑，我自己也從中學習到很多；Yves 擁有一間公司的總經理的經驗，可以從高階經理人的角度切入這個題目，內容跟其他的講師不太一樣。如果你也正想開始導入敏捷到你的公司，我建議可以把這章細細咀嚼，不，整本書都應該細細咀嚼。

　　不論如何，市面上關於敏捷、Scrum 的書很多，但很少有書像這本書一樣的紮實、一樣的落地，從第一章開始，就可以感覺出 Yves 的確是飽覽群書，且都內化成為他自己的養分，並且身體力行地實踐出來。不管是從上而下，或是從下而上的敏捷變革，讀者都可以看到 Yves 寶貴的心得跟建議。我記得當我第一次念完這本書的時候，就覺得這本書真是太棒了，有高度！一定可以幫助到很多人！而這些人可能就包含了正在讀這本書的你！

　　我相信你會喜歡這本書！也買一本給你的主管吧！

組織中的敏捷實踐

陳俊樺　Josh Chen
敏捷隱士

　　如果想要導入敏捷，這會是一本你希望老闆讀過的書（員工也會慶幸身為老闆的你讀過本書），因為在面對 VUCA 的這個當下，企業需要的是能組成像海豹部隊般迅速應變、掌握價值目標的團隊。但這種團隊該如何培養？嘿嘿，這本書就有最好的答案，書中除了清楚地描繪敏捷方法外，也援引了國

外諸多名家的理論，並用極為易懂的語言表達出這些理論的精髓。Yves 用自己過去的經驗及故事，讓這些很硬的主題轉化成讀者能實際運用的思維模式，所以這本書並不是講道理的書，而是與你對話、跟你聊天、和你討論方法及促使你思考的書籍，甚至個人覺得這應該是接觸敏捷管理的你必備的案頭書，所有應該要知道的敏捷知識都可以在這邊找到，並可再從書中尋獲通往各大新一代管理門派山門的路徑，實在是家家戶戶導入敏捷的必備良藥呀。

尤其中大型組織在轉型時存在著管理與執行階層不容易理解的經驗鴻溝。追本溯源這種鴻溝來自於過去成功經驗造成的困境，雖然台灣以前的經濟奇蹟大幅的提高了生活水準，但現在的發展卻也被當時成功的經驗困住，以至能順應這時代的思考及行為模式在組織中並不待見，進而造成組織大量流失具有想法及能力的人，也讓企業發出一代不如一代的感嘆。難道沒有拉近雙方認知距離的方法嗎？答案其實是有的，Yves 的敏捷管理不只是方法論，甚至包含了這一代知識工作者的思考方式、相信的價值觀、使用工具及行為模式。如果你是管理者，閱讀這本書能讓增幅你的管理經驗；如果你是員工，這本書能讓你思考職涯的發展方向。因此不管你處在哪種角色，這絕對是你值得反覆再三閱讀的書籍。

如果你和我一樣任職在大型組織內（甚至在政府單位服務），那麼敏捷轉型是不是就只能是一場夢呢？其實不是，在這個時局裡，不管哪個單位都需要轉型來重新賦能，也許大型組織會受當下組織體制的限制，但也會有適合運用敏捷的場景，畢竟追求價值是組織間的共同認知。不要試圖高舉敏捷的大旗喊口號，因為敏捷要的是把手弄髒去實地產出價值，實際思考和找尋每件事情的價值和意義。也許過去經驗中面臨不少的困難和失敗，那時就到敏捷社群走走吧！社群等於是這本書的 DLC，有機會親自跟 Yves 等先進們交換意見，然後再試試用其他的方法灑下敏捷的種子，也許不是馬上，但這些種子一定會發芽的，所以就開始吧！

從讓工作可視化和透明化的看板方法開始，也許會是一個敏捷的好開端，尤其對於保守的中大型組織而言，看板方法並不會造成組織結構的改變，但卻可以有效的將資訊推向透明，這對促進價值的交付會有非常大的助益，而且中大型組織存有一定的資源，所以某製藥公司說的「先求不傷身體，再講求效果」就變得很重要，不然還沒有改變成功，自己就先被幹掉了，那麼就沒有然後了……，因此如果你在中大型組織，記得要心中有敏捷，適時的借力用勢，運用漸漸的力量（不知道漸漸？！請搜尋侯文詠的《點滴城市》），改變是會到來的，最後期待在敏捷的路上看到你帶著本書與我們同行！

DevOps 導入經驗談——小型接案公司的持續改善之旅

艦長
DevOps　傳教士
DevOps Taiwan　社群志工

開場

時間約莫是 2016 年中，那時社會上正醞釀著一股「人人學程式」的風潮，在當時的媒體熱潮之下，彷彿寫程式即是下一波全民發大財的機會。就在那樣的時空之下，位於臺北市區內的一間會議室中，某家小型接案公司正在進行首次舉辦的技術分享會，試圖尋找方法解決在專案上遇到的混亂狀況。

A：「最近真的是感到疲於奔命了！要開發新專案，又要維護舊專案，每天光是上版部署就夠煩了。」

C：「是不是該想個辦法解決目前的混亂狀況？」

正視現況

B：「大家看一下這篇文章〈看見全貌，先找出要解決的問題是什麼〉，也許我們應該先釐清到底現在專案開發、進度管理與後續維運工作遇到了什麼問題。你們看文章提到的 Agile 與 DevOps 好像有點道理，不知道有沒有我們可以學習的地方？」

經過一番討論，該團隊整理出 4 項令人頭痛的問題：

1. 整體資源缺乏：

作為小型接案公司，資源缺乏一直是該團隊無可避免的現況，缺乏可分為資金、人力及時間三個層面，而三個層面又彼此互相影響。

由於可運用的資金有限，常見許多小型專案公司為了維持公司持有的現金水位，經常是案子來者不拒，然而人力有限的狀況下，團隊消化專案的速度有限；因此在舊案需要維護與維運、新案持續進來、手上的專案又尚未結案的情況下，想當然時間必然遠遠不夠。

2. 重複性工作

軟體開發並非只需撰寫程式，在程式碼之外，仍有許多需要反覆執行的工作。好比以「部署」為例，雖然不同專案的部署細節有些差異，但每當新版本釋出時，就必定要再次重複執行部署動作，而隨著進入維護期的專案數量越來越多，累積下來每週執行部署的次數並不算少。重複性工作在不知不覺間佔據團隊大量的工時與注意力。

3. 專案需求差異

4. 欠缺統一的工作流程與專案管理機制

　　這兩項問題互有關連，但總體來說即是專案資訊透明度不足。例如團隊成員都只瞭解自己負責的專案資訊，因此當有人請假時，其他成員光是代為回覆客戶詢問專案進度都感到頭痛，更不用說該如何幫忙 Hotfix 或處理對應的維運工作。

持續改善

C：「一步一步來吧！先從小地方開始，有哪些適合我們的工具或方法嗎？」

　　由於想改善的地方太多了，在現行工作依舊忙碌的狀況之下，不可能同時推進多項改善措施，在經過評估之後，團隊決定逐步導入合適的流程與工具，以「持續改善」的方式解決目前遭遇的各項問題。經過這幾年的時間，該團隊實施了多項的改善措施。

1. 參考 Agile 的各項實踐，調整團隊的開發步調。

　　雖然該團隊並未導入 Scrum 或其他的 Agile 方法，但卻從中學習以調整團隊的開發步調。團隊設定一週為一個 Milestone，並於每週開始時舉辦「例會」。在例會中對齊各專案進度、分配每人當周負責的 Issue、並瞭解上一個 Milestone 各自在工作上是否遭遇難題，同時亦配合 Milestone 與客戶建立定期交付的默契（或約定）。每月維持一次「技術分享會」，針對團隊協作、專案或 Techstack 設定主題，維持團隊的「持續改善」。

2. 導入合適的專案管理及 DevOps 相關工具。

　　為了提升專案的資訊透明度、統一專案的開發及工作流程,團隊嘗試導入過各種工具。在經歷了多次的試錯與工具轉換後,最終選擇 GitLab 這個 DevOps platform,一舉解決 Issue tracking、KanBan、CI Service 等多項需求。

3. 搭建自動化平臺,解決重複性工作

　　經歷多次改善後,針對重複性的工作,該團隊利用 GitLab CI 搭配 Ansible 及相關工具建立簡易的自動化平臺,盡可能將從開發至維運的各項重複性工作自動化。透過 GitLab CI 任何成員皆能夠輕易的 Trigger 自動化腳本 獨自完成與各專案對應的重複性工作。自動化平臺幫助團隊省下不少時間,讓時間可以被投入在更有價值的工作上。

4. 建立多層面的監控機制

　　延續針對資訊透明度的需求,該團隊也強化了專案各層面的監控機制,例如以 Sentry 作為 Application monitoring 並串接 Slack 與 GitLab,以便即時瞭解 Application 在 Production 環境出現的異狀,同步為此新增並指派 Issue;以 Zabbix 作為 Server monitoring,監控並記錄服務的運作狀態;撰寫其他自動化腳本,搭配 Monit 或 Cron job 補足其餘的監控需求。團隊以過往發生過的維運慘痛經驗為基礎,多方補強專案的監控機制,幫助團隊能更迅速瞭解專案的維運現況,以便在發生狀況時能更快反應並解決問題。

結語

　　持續改善，是一種文化與精神、是隱藏在 Agile 與 DevOps 背後的一項重要價值。小型接案公司的持續改善之旅，已走了數年的時間，即便過程並非一帆風順，團隊仍是一步一腳印的持續向前。如今再次攤開檢視該團隊的工作流程，依然有多項值得改善的地方，持續改善是一趟需要團隊全體參與配合的長途旅程，究竟未來這趟旅程還會遭遇到何種風景，就讓我們繼續看下去……

淺談敏捷轉型

王家駿　James Wang

Programmer

近幾年進入了「霧卡（VUCA）」時代，各企業被迫進入轉型。不管是敏捷轉型或數位轉型，成功者與失敗者都花費相當多的成本去規劃與執行。聽到各種案例，或自己身邊發生的案例，常聽見尚未導入與執行者説「過去做得好好的為什麼要改呢？」或「敏捷不適合我們組織啦」。其實將這些問題歸納起來，會發現都是「人」的問題。人們會抗拒改變、討厭不穩定、覺得工作量變多……，這是轉型過程必經之痛，人越多、組織分工越精細的公司越不容易轉型。

除了「人」，轉型過程中常見的瓶頸是「系統」。這邊的系統不是系統思考所述的系統，而是支撐公司的資訊系統。轉型是為了跟上外在變化，讓自己適應多變的環境，大家可以思考一下，假設公司上下一條心，破釜沉舟決心開始轉型，回頭看到龐大且錯綜複雜的架構與程式碼。想用新技術推動業務發展？因應市場變化快速調整推出新版功能？你會發現，競爭對手總是能比自己更快更好地推陳出新，我們卻卡在過於難改的老舊系統。會發覺軟體一點都不軟，硬到超級難啃，超級難改動。尤其是大型系統，不管是重構或重寫，勢必要花上相當多的時間與人力，舉例來説，這幾年常聽到金融業基於上述問題，決定核心系統轉換，基本上都要花上 3 到 5 年。

會讓系統難以改動，甚至不知從何下手，主要原因可能為：沒人知道需求場景與系統的全貌。因習慣過往工作習慣與知識固化，長期陷入在錯誤的認知與知識中，輕忽了學習，導致能力不足。關於這點，第一步我建議開發團隊成員都要去學習並熟悉極限編程（Extreme Programming，XP）相關知識，包含 Pair Programming 與 TDD／BDD。

會有這些問題，原因很多，常見的是因企業文化導致缺乏知識傳承，安於現況或不想扛責任的關係，導致舉步不前，一直原地踏步。想走向未來，借用 ICA 的參與式策略規劃，大至分為以下幾個步驟：

- 目前立足點：需要先瞭解現況，看見全貌。
- 預見願景：思考願景與美好的未來，這是團隊大家共同的目標。
- 潛在矛盾：大家瞭解了現況與未來目標，在這旅途中有沒有什麼
- 讓團隊感到擔心或害怕的風險，有什麼因素可能讓我們無法達到目標。
- 策略行動：我們如何克服矛盾與障礙，找出共同邁向願景且富有創意的一系列可選擇行動方案。
  執行行動方案，持續監控並持續改善。

做任何策略都適合以上步驟，包含組織轉型，也包含資訊系統轉換。我們先瞭解資訊系統的現況，然後凝聚大家共識，期望改寫後的系統會變成怎樣？在這條漫長道路上可能有哪些風險？譬如團隊技術能力不足、或缺乏眼界導致不清楚現在的技術能做到哪種地步，無法想像美好未來……。面對排山倒海而來的問題，規劃行動計畫，然後展開行動方案（安排行事曆、跨組人力運用與溝通、各項目預算等議題）。

回到資訊系統改造，依據上面步驟：

1. 首先要看見現況全貌。常跑社群的人，對 Impact Mapping、Event Storming、Domain Storytelling 和 User Story Mapping 等方法應該不陌生，主要是每個人貢獻自己所知的部分，拼湊出現況全貌。
   在這步驟，一定要先從需求面下手，不要進入系統技術細節。我個人常使用 Event Storming 與 Domain Storytelling，首先將現

行流程視覺化。

　　盤點流程中，最好能找使用者或領域專家一同以說故事的方式建立起業務流程。然而各行業狀況不同，若完全沒人可問，想辦法記錄使用者操作流程，透過系統介面來還原業務流程。

　　業務流程建議從大至小，先找出粗顆粒，然後逐步往下細化。

2.　　其次是規劃願景，瞭解大家期望未來我們想要維護怎麼樣的系統？

　　我希望我們的系統服務水準達到多少？系統與程式能反映出需求，易讀好懂……願景是團隊的，如何凝聚團隊共識，創造共同願景是這一步的挑戰。

3.　　再來從現在的立足點到未來願景中可能存在什麼風險？大家擔心的項目是什麼？恐懼害怕什麼狀況發生？瞭解後才能規劃系統轉換的行動方案。

　　我擔心團隊技術能力不夠，無法達到願景。我害怕明年某大案子影響，沒太多時間還債。這條主要是把團隊負面的想法展現出來，知道團隊的擔憂，這些都是思考方案時的限制，或者是思考方案時要解決的問題。

4.　　常見的行動方案，大方向分為重寫與重構，每個方向都有優缺點，這個問題要各位回到公司與團隊與長官們討論，不同公司的決策會不相同，因為每家公司資源分配不同，資源包含了人力與費用與營運方針等。選定方向後，大家的執行細節也略有不同，譬如一樣是重寫，一樣是花 3~5 年，有些公司選擇一步到位然後上線，有些公司選擇重寫一個功能就上線這個功能。讓資訊系統轉型的方法與策略很多，也會依據不同公司文化而用不同的策

略，這邊就不多述了。

　　我的作法是逐步還債，適時梳理需求，將程式依據新設計漸漸調整成我們想要的樣貌。這部分偏技術手法，方法很多。程式碼面，我們的目標是能補上單元測試與整合測試，讓程式具備可測試性，補上測試，才能引入後續其他重構。一定躲不了在老舊系統上加上新功能，主流作法是將新功能獨立撰寫，透過防腐層（Anti-corruption Layer）隔離遺留系統。新舊功能並行，然後漸漸將舊系統功能移植到新系統上。

5.　　　執行行動方案並持續回饋調整方向。

　　在三步工作法中，建立反饋迴路是相當重要的一件事情。我個人的作法是固定一段時間回頭檢視，主要會問自己與團隊以下問題：今年還債目標是什麼？目前我們到達哪裡了？這段時間以來有沒有遇到什麼問題？這個問題對我們造成怎樣的困擾？這困擾對團隊心情影響是什麼？當下團隊如何解決？如果能夠再來一次，大家會如何解決問題？

　　依我過去的個人經驗，出現技術債很正常，欠債要定期償還即可。想要瞭解如何團隊協作學習領域知識，然後將領域知識轉化為程式碼，個人學習經驗是可以學習領域驅動設計（Domain Driven Design，DDD），對個人與團隊都會有幫助的。

　　配合組織轉型，不管是敏捷轉型或數位轉型，最大難關主要來自於「人」和「系統」，要讓公司更好，這兩關是勢必要面對的問題。面對轉型這種大事，可以透過參與式策略規劃五步驟，展開行動計畫。行動中要持續監控與聽取回饋，確保團隊更靠近目標與願景。

敏捷，是適者生存。大家一起共同學習成長，融入 Agile Mindset 精神，成為擁抱改變的團隊。另外也期待大家未來都能擁有敏捷的系統，能夠因應各種需求快速適應變化，進而快速交付價值。

只要懂敏捷，敏捷就會幫你

劉昱廷　Murphy（iM2F1）
一條龍工程師

2014年，公司因為想轉型，想導入敏捷，所以在部門會議上提問有沒有人可以幫忙。當時還是菜雞的我，就接下了這個任務。因為是菜雞深怕影響前輩們的工作，部門經理也不想改變原本的模式。在模式完全成形前，就變成了雙軌並行的四不像。

公司的營運很正常、瀑布分工很順暢、專案也有按時交付、專案在候補測試中、工作依然是由經理分派等等。隨著跟敏捷接觸越來越深，體認由我導入最後一定會失敗。所以在導入了看板跟帶了一次 Scrum 體驗工作坊之後，我換了工作。

失敗的原因，是我不夠瞭解敏捷，其實也不該導入。

David（董大偉）老師常掛嘴邊的話，導而 Blue（不入）。

我就是當時那個 Blue 的人。

只要懂敏捷，敏捷就會幫你。這本書就是寫給想轉型的管理者看的，如果你的公司、部門或團隊，也想要敏捷，也想跑 Scrum。這本大概是我唯一推薦的書了。作者公司 Titansoft 的敏捷執行非常徹底，不只是流於表面而已。

公司的文化由作者一步步地從無到有建立，所以細數組織中的每個角色、每個活動、每個細節，作者都交代了其中的「價值」所在。這好比交付軟體，少了 Git log，你只拿到了形；想要知道怎麼開發這個軟體，你需要的是 Git log，想瞭解或導入敏捷，作者把精髓都寫在書內了，希望你也可以讀懂作者想傳達的價值。

企業變革「輕戰略、重敏捷」的現在進行式

陳柏宇　Adam Chen

《英國劍橋 FTT 引導式培訓》國際認證 亞洲首位認證導師

根據 CIC 英國劍橋國際學院 2020／07 發佈的《未來人才培訓發展與趨勢 Revolution Next Decade：Successful L&D Strategy For Future Talent》報告中指出，人才演化已經從舊時代任務勞力、功能專業，進入到價值戰略，甚至商業夥伴的形式，這無疑給企業經營者和組織負責人重大且根本啟示：面對變化萬千的商業挑戰，企業若沉溺於過去成功輝煌，無法放棄繁複厚重的戰略，釋放組織潛能敏捷變身，激發群體智慧進而突破困境，那將在碎片速變的商業生態中，強烈感受到壓力倍增而慣性難轉、優勢漸失卻無能為力。

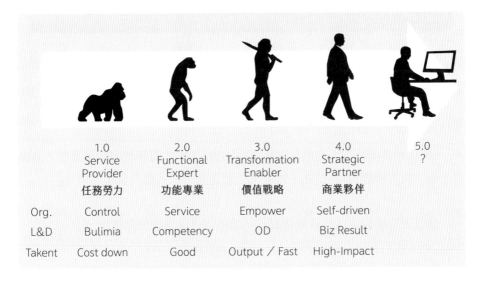

	1.0 Service Provider **任務勞力**	2.0 Functional Expert **功能專業**	3.0 Transformation Enabler **價值戰略**	4.0 Strategic Partner **商業夥伴**	5.0 ?
Org.	Control	Service	Empower	Self-driven	
L&D	Bulimia	Competency	OD	Biz Result	
Takent	Cost down	Good	Output / Fast	High-Impact	

　　不同於傳統企業管理思維——根植於可確定、可預測、可控制、可進行還原分解的假設,聚焦預測、分析、控制和回饋——「敏捷思維」植入企業與個人三大關鍵轉型 DNA:

與市場同步實驗

　　面對 VUCA 霧卡時代(多變 Volatile／不確定 Uncertain／複雜 Complex／模糊 Ambiguous)的現實環境,不得不去中心化將內部思路與外部市場緊密銜接,不是為了快而是真正轉型,離開象牙塔封閉思維,走入商戰中即時驗證各種假設。

和利益相關共創

　　調整變形為「短期多變臨時性」組織,從金字塔式的管控者,轉為拼圖式的參與者,讓原本訴諸神龕的少數高層戰略,落實到前線的戰術戰技,完成「反覆運算 Iteration、增量 Increment、可行 Potentially Releasable」敏捷強化與落地,讓組織多數利益相關者形塑不同戰果。

篤信商業真理來自實踐,真正的力量來自行動!建立「透明 Transparency、檢驗 Inspection、適應 Adaptation」三大行動支柱,鼓舞組織跳脫傳統框架束縛,賦能個人主導商業演進,從行動中捕捉靈感,不斷自主更新戰略。

「敏捷領導與學習」已經刻不容緩,不論 CEO 或管理者或基層員工,必須從上到下植入敏捷 DNA 文化,才能強化並面對複雜多變的商業生態。

你是否希望組織變身擁有新風氣,讓團隊適應環境快速變化?

- 承諾:願意對目標做出承諾,為結果負責
- 專注:把你的心思和能力都用到你承諾的工作上去
- 開放:把項目中的一切開放給每個人看
- 尊重:每個人都有他獨特的背景和經驗
- 勇氣:有勇氣做出承諾,履行承諾,接受別人的尊重

就是「敏捷」,你絕對需要它!

想成為 21 世紀的優勝者,靠既有的成功鐵定困難重重!

唯一的信靠,就只有打造「敏捷團隊」!也只有敏捷快速應變的團隊,才能將戰略有效落地,創造佳績。我們可以這麼說,在競爭激烈的市場中,誰能「更快、更多、更有效」交付成果、達致高績效,便掌握了成功之鑰。

那麼接下來，該如何敏捷變身，理出一條清晰核心思路？如何統合彼此立場，共創找尋新突破點？如何匯整大家的思路，認可形成集體共識？又該如何面對組織運營各階段，選用合適工具與框架，抓住商業機遇？怎樣才能透過新價值文化認同與推行，引動個人思維轉化與蛻變，帶動組織整體對話協作，有效翻轉難以轉變的慣性弊病？最終，如何能模擬建構生態場域，培養即戰商業敏銳，打造高專精人才梯隊，推動組織自主演化？我相信，這些林林總總讓人頭痛且迫切的問題，在 Yves 兄這本洞見與實操兼具的著作中，你會如獲至寶的驚喜發現，答案就是它了。

　　有緣與 Yves 兄在我的課程工作坊中深入相識，開啟了這一段真摯情誼，Yves 兄熱情直率、真誠大氣，是令人欽服的敏捷倡導業界先趨，更是智略膽識兼具的創業家，很榮幸也很感謝不嫌棄能為新書推薦數語，相信必能為各位帶來啟發。

推動組織變革的四象限框架

黃意鈞　Ivan Huang

國際引導者協會認證專業引導師（CPF）

系統思考顧問與培訓師

專注於組織發展與變革以及跨領域利害關係人協作

當我得知 Yves（林裕丞）的敏捷專書即將出版時，我心中的第一個念頭是：「求敏捷若渴的朋友有福了！」

這幾年有越來越多人有感於社會、經濟環境的快速變化，因此對於「敏捷」升起了好奇心，也因此這幾年越來越常看到「敏捷XX」的名詞滿天飛，例如「敏捷轉型」、「敏捷領導」、「敏捷管理」……（以下族繁不及備載）。

儘管對於敏捷一詞感興趣，許多人卻未必真正瞭解敏捷的內涵，例如很多人可能會把敏捷與「快速」畫上等號。即使對於敏捷多有瞭解，在面對走向敏捷的變革路上還是感到猶疑不定，不知道如何踏出第一步，或是想要預先知道路途中可能碰到的困難。所幸這本敏捷專書的出版，恰好可以為這群敏捷變革推手帶來一大助力。

在讀過本書之後，我對於書中的內容初步歸納為三大類：

第一類是對於敏捷本身的介紹，包括為什麼要敏捷、敏捷的價值觀、Scrum 的運作方式與團隊編制，以及對於敏捷可能會有的疑惑、偏誤與盲點。

第二類是 Yves 過去在鈦坦科技（Titansoft）導入敏捷的實踐心得與辛酸血淚，以及針對企業變革推手導入敏捷的實務建議，包括團隊在陣痛期可能會

出現的現象、在導入之前會需要留意以及與之合作的利害關係人，包括主管以及 HR 部門。

第三類是 Yves 多年來跨領域廣泛學習的收穫，包括心理學、引導及教練等領域，而 Yves 也不藏私地分享了相關的書單與學習資源。

在上述三大類內容當中，我認為後兩類對於台灣的朋友會是特別地珍貴。儘管在任何購書網站上搜尋「敏捷」二字，往往可以搜尋到許多談論敏捷的專書，這些著作卻少有在地化的實踐與學習心得。而 Yves 的這本專書讓我們知道，「敏捷」在台灣是有可能落地生根的，而且在台灣也有很多可以幫助組織變得更敏捷的學習與支持資源。

因此，我特別想要把這本書推薦給兩大類讀者，第一類是想要在組織內部導入敏捷的領導者或其他變革推手，包括在軟體開發業以及其他產業的推手，第二類則是想要幫助客戶更能夠因應變化的組織外部支持者，包括顧問、教育訓練講師、教練以及引導師。

如果讀到這裡的朋友決定要讀這本書，我想要分享一個「四象限框架」（請見下圖），來幫助讀者朋友對於 Yves 這本專書的學習與實踐。

	內在	外在
個體	心理象限 心理狀態、經驗、感受 思考模式	行為象限 個人行為、方法工具 技術
集體	文化象限 共同價值觀、習慣、風俗 共同願景	系統象限 架構、制度、運作模式 政策、環境

圖：肯恩・威爾伯的四象限框架

這個四象限框架是來自於美國的超個人心理學家肯恩·威爾伯（Ken Wilber），由兩條軸線所構成。其中的橫軸是「內在－外在」軸線，「外在」指的是可以經由客觀觀察、測量而得知的事物，例如形狀、大小、物理環境，而「內在」則是指無法被客觀觀察、測量，只能經由談話互動而得知的事物，例如感受、價值觀。框架的縱軸是「個體－集體」軸線，其中「個體」指的是與單一個體有關的事物，「集體」則是與多個個體之間的互動有關的事物。

　　因此，由上述的「內在－外在」及「個體－集體」兩條軸線相交，就形成了四個象限。其中的「外在－個體」象限被稱為「行為」象限，例如組織內的個人行為，以及用來提升個人表現的方法工具；「外在－集體」象限則是「系統」象限，在組織中包含組織架構、工作流程、運作模式、政策制度、策略與環境；「內在－個體」象限包含了個人的心理狀態、思考模式，因此被稱為「心理」象限；「內在－集體」象限則是包含了「一群人共同的內在世界」，例如共同願景、共同的價值觀，因此被稱為「文化」象限。

　　接下來，讀者朋友可能會有的問題是：為什麼四象限框架很重要？

　　這是因為如果一個事物要在某一個象限長久存在，在其他三個象限也必須有相對應的事物，而四象限框架可以幫助領導者在帶領組織或團隊的時候，同時觀照到組織的多元面向。例如，假設一位企業領導者希望在組織中推廣某種工作方法——一個偏「行為象限」的現象，那麼他可以從另外三個象限來檢視這種工作方法與當前公司的相容程度：

●系統象限

　　新工作方法是否與現有的政策制度相容，例如公司的績效獎勵制度是否鼓勵員工以這種方法工作，或是如果員工在一開始嘗試用這種方法的時候失敗了，是否能免於被懲罰？

●心理象限

員工是否具備這種工作方法所需的心理狀態，例如個別員工的心理素質是否能夠掌握工作方法的內涵、認同這種新工作方法的重要性？

●文化象限

公司的集體價值觀與信念是否容許、甚至鼓勵人們以這種方法來工作，例如一個員工如果以這種方法工作，能否被視為「在做正確的事」而不被視為「怪咖」？

如果對於上述問題的回答沒有全部為「Yes」，並且對於回答為「No」的問題沒有提出相對應的配套措施，那麼我們就可以預期這樣的工作方法恐怕很難在組織中生根、長久且普遍地存在。

那麼，讀者可以如何使用這個四象限框架呢？

對於還在敏捷入門階段的讀者，我建議在讀這本書的時候，可以試著用四象限框架來整理 Yves 在書中所提到的內容與觀點，例如下表是我在快速讀過本書後所做的摘要：

	內在	外在
個體	● 保有積極與樂於改變的態度，並以客戶的利益為出發點，盡力做出可用的產品 ● 除了樂於天天面對面與人互動，還要重視團隊成功大於個人成功 **個人思維層次的提升**	● 在技術上要有專業能力，以可持續的步調在短時間內交付產品，並持續追求優越的技術與優良的設計 ● 定期自我反省並實際改善 ● 產品負責人、開發團隊的工作 ● 敏捷化工具（價值流分析、使用者故事地圖） **引導、教練**
集體	● 《敏捷宣言》的四大價值觀： 　個人與互動重於流程與工具 　可用的軟體重於詳盡的檔 　與客戶合作重於合約協商 　回應變化重於遵循計劃 **組織文化是指成員共通的 價值觀、習慣、信仰等**	● 自組織的運作方式、自主管理（團隊可自行決定如何完成交辦任務）、權力責任的分配 ● 工作分配及團隊溝通模式 ● Scrum 的運作方式：衝刺與五大會議 ● Scrum的團隊編制（產品負責人、開發團隊） **全員參與制**

藉由運用四象限框架，我們就能夠在讀這本書的時候把個別的內容組織起來，並且透過在四個象限的相互對照，對於敏捷有更完整的認識。

如果對於敏捷有相當程度的認識，並且准備要在組織內導入敏捷，這類的讀者可以運用四象限框架，來檢視推動敏捷的措施是否足夠完整。例如敏捷最外顯的部分之一，是 Scrum 團隊的編制與運作模式，這是屬於「系統象限」。因此，在導入 Scrum 時，敏捷的變革推手們可以從不同的象限對自己提問：

- 行為象限：組織／團隊成員是否已經具備所需的方法、工具或技術？

- 心理象限：組織／團隊成員對於 Scrum 是否有足夠的認知？他們對於 Scrum 的態度為何？他們認可 Scrum 的重要性嗎？他們目前對於改變的幅度能夠忍受到什麼地步？

- 文化象限：組織／團隊目前提倡了什麼樣的文化，例如那些存在於網頁、牆上、標語及口號中的信念或價值觀？而目前實際在運作的文化是什麼，例如那些實際指引成員如何做事、與人互動的信念或價值觀？這些被提倡以及實際在發揮作用的信念與價值觀，它們和敏捷的價值觀的差距有多大？

- 系統象限：組織／團隊現有的政策制度對於 Scrum 的支持程度有多大，例如目前的績效制度是否鼓勵團隊合作，還是只鼓勵個人英雄？

　　以上所列只是一部份的問句，讀者在實際推動敏捷的過程中將會發現更多需要關注的事物，讓自己的「敏捷四象限框架」變得更加豐富、完整，進而能夠對於組織／團隊進行診斷與介入，並且在敏捷變革的道路上持續前進。

實務得要有效的推展

蕭存喻　Richard Hsiao

騰學廣告科技　工程副總

國立交通大學　資訊工程博士

　　聽聞 Yves 要將多年的敏捷實踐經驗及分享內容集結成書，邀我來寫推薦序，我當下的直覺反應是很高興也很榮幸能作為這本實踐分享書籍的推薦人。

　　與 Yves 初識應是在 Agile tour Taipei 2015 的時候，那年也是我第二次於 Agile tour Taipei 分享自己敏捷軟體開發之路，那年的會場有蠻多鈦坦科技資深經理人與 Team Lead 參與，也與我有不少深度的交流，態度積極並切入不少實踐上遇到的議題，讓我印象深刻。有位當時駐地於台中分公司的 Team Lead 陳超則，在返回台中的高鐵路途上與我一路交流都未曾停下，讓我覺得有這樣的組織領導難能可貴，未來可期。

　　接下來的幾年光景，我想很多台灣敏捷圈裡的夥伴們就不陌生了，鈦坦科技積極實踐、累積經驗，從高層到基層都很熱絡的在各地敏捷社群與會議中分享相關的經驗，發揮影響力並支持著台灣敏捷社群活動，蠻多層面都走在台灣業界的尖端。

　　在閱讀了 Yves 給我的初稿後，我見到的是鈦坦科技這些年來快速反覆運算下來的大量實務經驗所得的實戰觀點，也因為大家都是敏捷心法的同行實踐者，這些扎實的內容，頗能引起我的共鳴與認同。特別像是敏捷實踐章節中所提及的「敏捷八不」，自 Yves 於 2018 年發布以來，在公司內部我就曾與我的直屬經理人部屬分享過這篇內容，請他們放在心上，雖然為了有助於「自主式學習性組織」的建立，我們在日常中多了不少的面向的活動時間，投入用於激發同仁能當責、自主、不斷成長與學習的潛能，　但也仍須牢記企業體有目

前需要面對的議題：實務得要有效的推展，切勿擔誤了「高效能（High Effectiveness）」的企業經營重點。

　　從我的觀點來看這本書，對於初識敏捷的接觸者，可以透過此書提早知曉一些誤區、迷思，進而提早思考並切入重點區域探索；對於已是深度實踐者，則可以在這些議題上多增加一些跨越維度思考的可能性。即便已是多年實踐者如我，在閱讀這份初稿之時，其實也是給了我一個機會，讓我重新檢閱了 Yves 經歷過的空間維度資訊，再度啟動相關的思考。除了原本在〈黑手阿一的敏捷實戰報告〉部落格中已分享的議題之外，蠻多議題上也再度與我這些年的經驗重新激起了新的火花，頗有一種達到了思維擴展的效果。

　　本書另一個可貴之處，則是 Yves 依過往經驗，淬鍊而列出值得實踐者參考的方法與專書推薦，這些部份也極具參考的價值。我相信此書可供敏捷實踐的同行者們參考，並思索如何建立一個心態健全的自組織式、高可適性團隊，來迎戰軟體產業常見的霧卡（V.U.C.A.）環境，在此推薦給大家！

引導技巧是實務中的關鍵

史旺基　Swanky Hsiao
ITM 技術總監

　　讓團隊把事情做好從來都不是件容易的事，尤其是在我身處的這麼抽象複雜的軟體業中。學生時期上軟體工程課時曾拜讀《人月神話》，深深被其中像是〈沒有銀彈：軟體工程的本質性與附屬性工作〉這樣的文章所影響，要順利進行大型軟體開發好難呀！二十幾年過去了，聰明的工程師們是不是還陷在深深的大泥沼中呢？

　　敏捷的出現，在我看來就算不是銀彈也是種良藥，但良藥通常苦口，的確以我的自身經驗在團隊導入敏捷時，總不如想像中的那麼美好，例如在敏捷開發技術方法上曾要求同事試著 Pair Programming，讓原本是朋友的兩人在工作上爭執了幾天後最終罷休，卻也讓團隊成員從此產生芥蒂。在敏捷管理上帶著團隊跑回顧會議，期望能藉著這個最重要的改善儀式來強化團隊，卻有同仁在回顧會議中說覺得開這個會沒有意義，建議之後少開。種種敏捷路上的崩潰實在是罄竹難書呀！

　　感謝 Yves ！現在有了這本《敏捷管理生存指南》，相信等我融會貫通之後就會得到救贖。Yves 在本書中都以親身經驗娓娓道來這苦後如何帶來甘甜，篇幅不長卻是整個敏捷相關知識的懶人包，也是之後讓我在跑敏捷時可以參考的萬用工具箱。

　　看完這生存指南後我有個心得。是關於敏捷實務中很重要的引導技巧，另一個身為制服女孩攝影師角色的我，似乎在接觸敏捷之前就有很深刻的體悟。

要能拍好正妹也是個複雜度很高的事情，比起引導工程師更是需要對人不對事。模特兒臨時心情不好無法正常賣萌、拍攝場景臨時無法使用或是拍一拍突然下雨了、說的笑話不好笑讓氣氛尷尬降到冰點，種種變數都是很多的卡住，經常考驗著攝影師也就是引導者的專業程度，拍照可不是按按快門就好呢！

　　敏捷要我們攻心為上，開鏡快速拍個幾張抓住模特兒的角度後，馬上走向模特兒遞出相機秀照片，「妳看看這樣不錯吧！」說出感受展現一致性，「哦～原來史旺基把我拍得這麼好看呀！」，如此快速反覆運算取得模特兒的信任，後續的作品也就自然而然配合度高很好發揮。網友們說喜歡看水手服＋雙馬尾＋粗框眼鏡＋膝上襪，回應變化重於遵循計劃，我就馬上修正此 Dress Code 為最高優先。啊！原來身為正妹攝影師的我比身為技術主管的我來得更敏捷啊！

通往「真‧敏捷」的康莊大道

余中平　John Yu

敏捷引水人

台灣敏捷協會祕書長，臺北敏捷社群組織者

　　近兩年在台灣的期刊上（哈佛商業評論、經理人雜誌等等），標題或內文時常出現敏捷二字，且隨著教學線上化、課程平價化，也出現了許多教授敏捷相關課程的新講師。這個現象在在顯示了各地敏捷社群長期在地耕耘的努力成果，雖然追求名詞者眾，但也算是略有小成，那為何要推廣敏捷思維／心法？

　　這源自於華人社會／教育的根本問題——要努力、小確幸，西方社會的教育卻是鼓勵思考、批判，但華人社會的教育卻是望子女成龍鳳，這造成了目前的工薪族只庸庸碌碌地勞動，碎唸著工時長，薪水追不上通膨，而當初推廣敏捷的初衷就是寄望能改善這個社會現象。隨著時代的變遷，時勢的變化，最常見的問題如「如何導入敏捷」、「如何讓上面買單敏捷」，這兩個大哉問，自2014 年起，小弟我投入敏捷社群圈後，一直是排行榜上前 5 名的問題，我猜測大概的原因是這些敏捷思維、管理方式、落地案例都還在實驗中或已經失敗了，甚至這幾年來出版的書籍在這些問題上著墨也不多。阿一（Yves Lin）在本書內容中就深入淺出地說明瞭，鈦坦科技這幾年如何「守、破、離」導入敏捷、內化敏捷、推廣敏捷，若你認真細讀後，前述兩大哉問在書中便迎刃而解，所以我期望本書的出版能為台灣社會上的個人、組織、企業指出一條通往「真‧敏捷」的康莊大道。

開始敏捷賦能，讓我們的每一天都更好

廖予暄　Cherie Liao
AgileGirls　創辦人

　　和 Yves 第一次見面大概在四年前的一場敏捷活動，當時我正在為一間台灣銀行做數位轉型策略規劃，想在活動中找些新觀點，正巧碰到下午要演講的 Yves 準備要吃便當了，於是就用午餐時間跑去向他請益東南亞目前的產業發展跟數位狀態，現在想來，我們坐在活動場地，一邊啃雞腿一邊認真的討論著有關產業、經濟與轉型的未來大事，真是很有趣難得的一個畫面、一種機緣。

　　後來在 2019 年 Agile Summit 講師休息室中和 Yves 一起品嚐紅酒，感嘆台灣敏捷圈應該能再增添更多女性，隔天就成立了 AgileGirls。

　　這樣的機緣演化到 2020 年，我們有機會一起翻譯校稿《美國政府責任署敏捷式開發評估指南》，然後突然發現，在繁忙的日子中他居然要出書了！一本反覆運算產生的《敏捷生存指南》，當他邀請我寫推薦序，我想到以後又多了本敏捷工具書，立刻欣喜的答應了。

　　敏捷是一個很合理的團隊合作方式，Scrum 更是一個非常簡單好上手的專案執行框架，但往往在開始前大家都會問：為什麼要敏捷？他的效益是什麼？跟現行的瀑布式有什麼不一樣？敏捷很合埋也很簡單，但要在現行的模式中改掉不好的作法，學習好的方式，其實就是一場變革。就像書中提到的，首先要知道：變革不是重點，重點是為什麼要變革。企業「敏捷化」其實就是讓企業可以快速反應市場的變化。而需要敏捷化的最大原因，其實來自於市場的型態已改變。我想經過了 2020 年疫情與病毒的洗禮，我們都更清楚明白市場型態是翻天覆地的改變了，這場必要的變革，是直球對決 change or die 的二選一，適應改變的敏捷思維不再是 nice to have，而是為了面對嚴峻環境我們

必需要有的基本能力。

Yves 把經年累月的經驗，用小篇章的方式將導入敏捷最常有的問題，如：敏捷是什麼、敏捷的好處、團隊有哪些角色與職責，企業敏捷轉型要點……，一段一段從名詞翻譯、方法論、自身學習心得、經驗談的各種方式，給予讀者來自其本身經驗最真實的回覆。在我看來，閱讀本書，幾乎可以回答八成以上的轉型入門問題。相信藉著這些用心回覆必能引發你對團隊合作、試錯、檢視、調整的興趣，開啟更多嘗試敏捷的機會，理解賦能你的團隊，讓每個人做有價值的事，是面對快速變化的重中之重。

期待讀完本書的你，累積更多實做經驗中碰到的錯誤與修正，然後來跟我們一起分享讓團隊合作、專案管理、公司治理，還有我們的世界變得更好的你的敏捷經驗。

進入敏捷世界必備的經典教材

王可帆／阿喵　Eric Wang

台灣連鎖加盟促進協會經理

很高興能收到 Yves 的邀請為他這本著作撰寫推薦序。前面章節讀不到十分鐘就讓我驚訝連連，其中包括精準地指出現在組織常見的營運狀況與痛點：需求不準確下造成的品質低落。

在這本《敏捷管理生存指南》，作者不僅僅只是介紹說明敏捷的模型、流程，更引用了大量豐富的個案來介紹敏捷的運用狀況。同時，作者本身在軟體開發領域的經驗分享，結合生活化、引導式的內容，使整本書的內容更為豐富有趣。

此外，作者豐富的閱讀史，提供了大量的相關認識敏捷必讀的教材，包括了《原來你才是絆腳石》、《MIT 最打動人心的溝通課：組織理學大師教你謙遜提問藝術》等等，間接引導了閱讀者可以從那些延伸知識來豐富自己的敏捷學習歷程；在作者多年的敏捷經驗所融會貫通出的武功「敏捷八不」，亦提供了讀者在思考導入敏捷時，哪些誤區、陷阱應該避免踏入，包括傳統的小組領導模式與敏捷如何相容？所謂的透明化到底要透明到何種程度？都適切地對敏捷新手或老手指引應該思考的執行面議題。

敏捷，不是一個 1 + 1 等於 2 的遊戲。如果您有看過羅賓威廉斯主演的《野蠻遊戲》這部經典電影（如果沒有看過也推薦您），筆者覺得敏捷有異曲同工之妙。一旦接觸敏捷，整個改造遊戲就開始自然運作，它會迫使您的腦洞大開，而且在踏上敏捷之旅過程中一道又一道的難題會隨之而來。這本《敏捷管理生存指南》雖非葵花寶典，但卻是您在敏捷叢林中，必須仰賴的求生關鍵，絕對值得您的一讀。

再次感謝Yves的邀請寫序，很開心，更開心的是能讓您有這樣一個機會一窺敏捷世界的全貌。

Welcome to the Agile jungle!

從一個人的敏捷到一群人的敏捷

林向原　Sean Lin

一開始聽到「敏捷」這個名詞時，就很好奇敏捷到底是什麼？在初步地瞭解之後就對「敏捷」的方法以及觀念很著迷，當時認為敏捷跟我的工作模式太像了：寫完程式，馬上找使用者校對寫出來的東西是不是他們想要的，得到他們的反饋，有問題馬上修改，不會發生到了專案快結束才驗收然後要大改功能的事情。那時候心想著：原來不是只有我這樣做！當時的內心裡覺得很興奮。

在帶領團隊的時候，也一心想要把這樣的工作方法與精神帶進團隊與公司。殊不知，原來一個人的時候好像可以很敏捷，但是要一群人一起敏捷卻不是那麼地容易，初期時就遇到了不少實行上的問題：怎麼讓每個人認識以及瞭解敏捷？怎麼讓團隊合作、分工？怎麼估算時程？怎麼寫 User Story？怎麼拆Task？

在施行一段時間後，又遇到了另一個層次的問題，我要做什麼樣的調整才可以讓團隊自主？團隊自主下，那主管要做什麼？到底現在的團隊以及工作的內容真的適合使用 Scrum 嗎？怎麼樣讓團隊成員有效的溝通？怎麼樣創造一

個讓團隊有安全感的環境？

在每一個時期遇到的問題，有時候團隊可以自己討論出一個解決的方法，有時候去抱敏捷社群的夥伴的大腿解惑，有時候是自己去上一些課程的時候學到了解決方案。

這本敏捷專書著重在實戰上會遇到什麼樣的問題並且推薦了哪些方法、課程、書本可以幫助找到解決問題的方向。在閱讀的過程中，心情好像在沙灘上撿貝殼，感受到像撿到了漂亮的貝殼的興奮感，因為曾經遇到的問題在這本書裡都可以找得到方向，也讓我反思當初我的作法還有什麼不一樣的方向可以嘗試。深深感受到 Yves 在敏捷這件事情上的用心經營而且經驗豐富！

敏捷像一間草藥舖，先找出問題再針對問題下藥

江佳佳　Annie Chiang
敏捷草藥師

我與敏捷的第一次接觸是在 2017 年，正式開始使用敏捷方法做事是在 2018 年，直到寫本文的 2021 年年初，我仍然在敏捷的道路上走著，我想暫時也還不會離開。許多人在推廣某些理念時，會自詡為「傳教士」，但我一直都不太喜歡用這樣的別名稱呼自己，因為我並未擁有對敏捷的強烈信仰，也不認為敏捷是解決問題的萬靈丹。對我來說，敏捷比較像一間草藥舖，裡面有很多的草藥，可以治療一些職場上遇到的問題（甚至生活也是），但想要有效的話，必須要先找出問題，針對問題下藥，才有機會藥到病除，否則可能會是

藥到命除。

　　當我在敏捷道路上迷惘，在網路上找尋知識時，Yves 的文章總是可以讓我找到自己的定位，接著再邁步向前。網路文章都是較短篇的，遇到不同的問題就找相關的文章。本書則是集 Yves 的知識經驗，淬煉出的內容，我個人最喜歡「敏捷八不」那一個篇章。很多時候我們在敏捷的道路上卡死是因為我們對敏捷精神提出的界線不夠清楚，用敏捷方法做事時，不小心想要把某一個精神做到極致。但其實回頭看敏捷方法誕生的背景，細探當時的背景以及敏捷價值觀的關聯，我認為敏捷講的其實是一種平衡的藝術，舉例來說：「自組織管理」實際上還是要管理，只是什麼時候該管？什麼時候不該管？許多敏捷的書籍並沒有將這個分界說清楚，但本書會讓你瞭解界線是什麼。

　　Yves 在本書中還有針對 Scrum 中各個角色之間該如何互相合作來說明，這也是比較少從其他書籍資料中看到的，我特別喜歡 Yves 指出這些角色間的關係，並且透過互相合作／幫助的用語來讓角色間的關係更加靠近，雖然 PO ／ SM ／ TEAM 這樣的角色在過程中偶爾會有互相制衡之感，但這些角色間更重要應該是合作，齊心打造有價值的產品。

　　在本書中，也加入了很多敏捷周邊的知識領域，在敏捷道路上的實踐者可以知道還有哪些知識可以去學習，但這同時加高了本書閱讀的困難度，就我自己閱讀的感受來說，雖然看得出來內容是整理過的，也有脈絡可以依循，但因為 Yves 本身具備的知識經驗實在太豐富了！如果閱讀時候想要每字每句都看得很仔細，一次瞭解全部內容，那我想讀者應該會十分痛苦。假設讀者在閱讀時發現有點小難度，可以試著先用巨集觀的方式先把本書看過一次，然後再去細細品味每一個章節的精華。

　　本書內容不只有包含「敏捷開發」、「敏捷專案管理」，甚至是「企業文化」都略有探討。我們對老闆的不理解，是因為我們不知道他們在意什麼，需

要考慮的有哪些，而本書正提供了一個管道，讓我們有機會藉由 Yves 的眼睛，去瞭解到高階管理層的視角，明白有多少事情是需要被考量的，瞭解這些是我認為本書很棒的其中一個隱性價值。

實實在在的經驗談

劉兆恭　Juggernaut Liu
JUGG 聊敏捷

就讓我參考 Agile Manifesto 提到四大價值觀的模式提出我個人的其中一條價值觀吧！

Practical Experiences over just Reading and Training.
實實在在的經驗　　勝過　　只是閱讀和培訓

這也是我從 Yves 跟 Titansoft 身上看到非常難能可貴的一點。從認識 Yves 開始，就很佩服 Yves 不僅僅帶著敏捷的信念，還真正落實在公司運作上，很推薦各位讀者仔細讀一下這本書的其中一段內容：「敏捷八不」。

各位讀者目前在網路上、書上、社群活動、線上演講應該不乏聽到很多敏捷的理論、敏捷的分享。但若無扎扎實實的實驗、貨真價實的導入，我們很難理解理想上的敏捷跟實際導入時的血淚差距。而敏捷八不就是 Yves 回顧 Titansoft 的敏捷轉型史總結出來的每一段坑，而這些坑的確很容易讓沒有實務經驗的敏捷初學熱情者誤以為敏捷就該這麼做而深陷其中。所以非常推薦各

位讀者閱讀這本書，更推薦讀完之後好好思考著如何按部就班地實驗在自己的工作跟生活中。

謝謝你 Yves！謝謝你不吝惜分享實戰的經驗。

超級推薦！超級推薦！超級推薦！

面對一直在改變的世界的一種心法

敏捷夥伴　布魯斯（Brus）
臺北敏捷協會監事，臺北敏捷社群志工

有一句話是這麼說的：「這個世界唯一不變的，就是一直在改變。」敏捷思維教給我們的即是如何面對一直在改變的世界的一種心法·這個心法沒有固定的做法，只有相對合適的做法，而這做法是從不斷地反覆運算改善中去找到的。在不斷反覆運算改善的過程中，很多的變化都是無法預期的，這時敏捷版孫子兵法扮演很重要的角色，阿一（Yves Lin）在這本書中用很簡單易懂的方式分享了，這幾年鈦坦科技是如何導入敏捷思維到企業之中，更重要的是透過分享，點出在敏捷導入時如何發現問題以及如何應對問題、改善問題。若你在準備前往敏捷或是已經在敏捷的路途上，這本書可以指引方向，讓你正在面對的問題可以迎刃而解。

適用於東方文化的職場的實務方法

侯嘉柔　Zoe
AgileGirls co-Founder

　　如今的時代變化快速，過去工業時代的工作方法已不再合用。尤其是資訊軟體相關工作，不像製造業有實體限制，改幾行程式產品樣貌就大不相同。

　　敏捷是人員保持優良心態，進而創造出優於過去結果的工作方法。也因此敏捷宣言簡短，連 Scrum Guide 也非常簡潔。

　　本書提及的實務方法或誤區，特別適用於東方文化的職場。若是已實際實踐過敏捷的工作者，但心中有惑覺得卡卡的朋友，看完此書必定大有所得。

身體力行投入敏捷

魚尾　Kodofish
敏捷實踐者

　　Yves 身為新加坡商鈦坦科技的總經理，不僅強力支持進行變革，導入敏捷文化，同時也身體力行投入敏捷的學習。從他身上看不到總經理的官威，更多的是相信夥伴能夠做出正確行動與促進改變的 Yves。這本書總結了 Yves 這些年在鈦坦科技導入敏捷的心得，鈦坦科技的案例在台灣敏捷圈可說是典範之一，這本書絕對極具參考價值。

在 2012 接觸敏捷之前，我不論工作大小都用專案管理的方法來進行，但規劃軟體開發的時程總是估不準，不然就是品質或成品與需求有落差。因緣際會下，我閱讀了一篇關於工作估計的文章（Joey 91 著），才知道原來還有另一種方法叫敏捷（Agile）。我開始學習敏捷的相關方法論，上了很多相關的課程，越是學習越是對於敏捷的精神感到敬佩。

某一年我加入了新創團隊，技術長希望能夠使用敏捷開發的方法來打造產品，而剛好我也一直想加入用敏捷開發產品的團隊，以累積相關的實際經驗。剛開始我們用 Scrum 做為開發方法，照著 Scrum 的規範，進行其相關活動，執行起來很容易，團隊不斷地有產出，氛圍也相當不錯。但快樂的時光並沒有延續太久，慢慢的就有一些挑戰出現。

這個功能完成了嗎？

團隊的部門劃分是以 Component 切分的，分為前端、後端、行動、QA 等部門，而非 Feature Team。需求下來就會依各部門的職責切為不同的 Task，在一個 Sprint 內各自去完成各自的工作。但漸漸地就經常會有前端做完了 Task，但後端沒有；或是後端已經做完了，但 Mobile 可能因為某些原因而沒有完成。因此在 Review Meeting 時發生「我們已經做完了啊，是 XX 他們沒有做」或是「YY 沒有把 API 介面給我們，我們無法進行」的情況。也堆積了半成品而無法確實交付。而 PM 只能將這個需求排入下一個 Sprint，讓這個功能能夠在下一次的交付完成。

這樣做看起來似乎沒什麼問題，但實際上部門與部門之間開始產生了穀倉效應，每個人甚至是部門都只關注著自己的工作，而不是關注著產品、關注著價值是否有最大化。堆積了半成品，這是 Lean 所說的七大浪費之一。

若是再來一次，假設不改變組織分工方式的情況下，應該將開發同一個需求的開發人員集合起來，組成一個臨時小組，在 Sprint 內完成這個需求。而不是各做各的，大家都很努力工作但需求卻無法被完成。

挖坑比填坑還快

期初開發的時候，團隊並沒有決定協作的方式，以及 DoD（Definition of Done），因此，任何人都可以 Commit code 到 dev branch，只要commit後，Jenkins 就會 Deploy 到 Dev Server。剛開始覺得很棒，因為都不用自己手動上版，Dev永遠都會是最新的版本。時間一久挑戰就慢慢開始浮現。Dev Server 經常有 Bug，或是無法正常運作，搞得前端與 Mobile 在開發的過程中因為 Dev 無法正常運作而中斷開發。這也會模糊問題焦點，搞不清楚到底是程式有問題還是 Dev server 有問題。而團隊也不斷地花時間在修 Bug，這 Bug 有來自 QA 找出來的，也有從前端反應在 Dev 上找到的 Bug，不斷地修 Bug 的情況下，就沒有足夠的時間進行開發，為了完成工作而採取趕工、加班的情況，就這樣陷入了一個負面的增強迴路。

在這個經驗中，我體認到對於一個開發團隊來說，如何建立起良好的開發協作方法是很重要的，如 Code Review、Pair Programming、Unit Test、TDD、ATDD、Simple Design、SOLID。這些方法雖然看起來無法直接有效幫助團隊完成工作，但卻是能夠漸漸培養起一致的開發習慣。對於軟體品質也能夠有所提升。

測試量能漸漸趕不上開發速度

熟悉 Scrum 或是有在跑 Scrum 的團隊可能都遇到過這個問題，就是當每個 Sprint 團隊不斷地交付完成的功能，而 QA 難道只需要測試這一次 Sprint 的交付功能就好了嗎？當然是要連同先前交付的功能進行回歸測試啊。但隨著

Sprint 的推進，回歸測試的內容越來越多，QA 也意識到這個狀況，QA Lead 開始做一些自動化測試來減少手動測試的工作，但改善的速度趕不及 Sprint 的推進。QA 開始只挑一些與這次 Sprint 相關的功能來進行回歸測試，以期望在時間內完成測試工作。但結果並有沒改善。

這個狀況若能夠讓開發團隊也擔負部分測試工作，讓開發人員在寫程式的同進進行 Unit Test、ATDD 開發，就能夠確保程式不會改 A 壞 B。而 QA 可以協助在需求釐清時，協助產生測試案例與驗收標準，開發人員就可以依測試案例與驗收標準進行測試的撰寫與自我驗收。而 QA 也能夠有較為足夠的時間做自動化測試的工作，以及進行探索測試。

結語

我是名後端工程師，較為專注在工程團隊如何在敏捷的環境下交付價值。敏捷是個適應改變的文化，一旦適應改變，那麼改變就成為一種習慣。這樣的文化與專案管理的文化截然不同，要採用敏捷、採用 Scrum 的方法論很容易，但要能夠執行得很順，需要不斷地嘗試、學習、磨合、改善，更重要的是公司高層的支持。Yves 身為新加坡商鈦坦科技的總經理，不僅強力支持進行變革，導入敏捷文化，同時也身體力行投入敏捷的學習。在他身上我從來看不到一個有官威的總經理，更多的是相信夥伴能夠做出正確行動與促進改變的 Yves。

被 Yves 啟發的敏捷轉型之旅

葉秉哲　William Yeh

敏捷魔藥師

起頭

2016 年七月，剛升上 Gogolook 的部門主管，也不容我再迴避一個埋藏已久的內心交戰：公司再這樣下去是不行的，朝敏捷的方式轉型才有出路。可是「轉型」二字談何容易，「敏捷轉型」更涉及深層的心智模式，匹夫之勇是行不通的，非長期抗戰不為功。

我需要一份地圖，告訴我敏捷轉型的航道上可能有哪些冰山或暗礁。就算還不知道該如何排除剷平，至少知道該如何趨避。

幸運的是，此刻 Yves 剛出爐的〈找出組織無法變敏捷的阻礙──團隊共創法實做〉部落格文章，恰如一場及時雨。文章不僅整理出敏捷轉型常見的12 項阻礙，更進一步將它們分成三大類型，並開出三帖藥方：

- 人員或組織的慣性→解決慣性的方法就是一直動，平衡日常營運與變革，控制前進的腳步，從走路、小碎步、健走慢慢加速到需要的節奏。

- 主事者的重視程度→權力越集中的組織越有可能大幅改變組織架構與資源投注，否則就得組織扁平化，採用自組織模式。

- 人員沒有能力或知識→給資源學習，給空間運用。

綜合考慮之後，我選擇在自己有直接職位權影響力的團隊內，打破慣性，亦步亦趨植入 Scrum 相關知識與實踐。這個小團隊的成功，便成為日後在公司內進一步擴大敏捷施行範圍的指標性個案。

我很感激 Yves 這篇文章的啟示。

遊戲

敏捷實施一小陣子，很快就會觸碰到一個迴避不了的衝突點：自組織、自管理要到什麼程度，才不是淪為玩假的敏捷？

隔壁團隊嘗試跑了 Kanban 一陣子，遇到這類問題，找我討論。

我知道這問題應該被解決，但如何解決？當時的我並沒有頭緒，更何況是隔壁的團隊，是我沒有直接職位權影響力的團隊。

我又向 Yves 的部落格取經。幸運的是，Yves 稍早在〈自己來做到死！──玩授權撲克來學主管如何授權〉這篇文章裡就點出一個關鍵，也介紹一個有趣的工具：

- 當主管在考慮工作的授權時，不應該問自己「要不要授權？」而要問自己「要如何授權？」

- 因為跟自組織一樣，授權不是 0 跟 1 二選一，而是程度多寡的差異。授權撲克（Delegation Poker）就是幫助我們思考「要如何授權？」的一個好工具。

這麼有趣的工具，令人躍躍欲試。於是，我開始密謀在公司月會時，帶這個團隊公開玩一場「授權撲克」遊戲，既解決他們的問題，也試圖在寓教於樂氣氛中對全公司傳達「某些不一樣的事正在發生」的訊號。

我大致上是根據 Yves 文章介紹的玩法，微調成更像 planning poker 的方式，讓團隊公開探討幾項活動的授權等級：

● Refine PBI
● Select SBI
● Estimate SBI
● Freeze spec
● Unfreeze spec
● Allow fast lane during sprint
● Manage tech debt

（也感謝 Yves 慷慨贈我幾盒鈦坦科技設計的授權撲克。）

這場公開活動，不僅達到預計的效果，也讓我更敢公開進行一些非傳統的引導活動。

空間

2017上半年，公司人數成長到空間不敷使用，打算再租下另一層辦公室。

國內外敏捷先驅的經驗告訴我們，合適的實體空間，能夠催化敏捷的成效。因此，這是千載難逢的大好機會，可以從頭開始把空間塑造成可滋養敏捷成長的模樣。

事情就是這麼湊巧。這一年來，每當我遇到相關的疑惑、需要相關的參考對象，Yves 就是會這麼湊巧的與我的敏捷探索之路產生交集。

此刻，Yves 所在的鈦坦科技也正在搬遷他們的臺北辦公室，葉千綸設計師更在 3 月 30 日晚間公開分享新辦公室的設計理念。於是，我們去取經，並設法將一些有趣的元素帶回來。

後來，與業界交流敏捷轉型甘苦談，才赫然發現，封閉的實體空間，對台灣軟體研發圈子的傷害有多大。我們真的很幸運，能在推動敏捷轉型的初期，就有可師法的對象，讓實體空間不致成為敏捷的阻力。

人的問題已經夠麻煩了，如果連空間都是麻煩製造者，怎麼能苛責敏捷轉型不順利？

引導

知識性的 Scrum 課程很多，但軟技能卻很少直接在 Scrum 課程中傳授。

這麼說或許並不公平，畢竟 Scrum 只是具體而微的框架，不是包山包海的滿漢全席，骨肉還是需要由其他地方填補。

什麼才是 Scrum 需要搭配的軟技能？

Yves 的〈敏捷 X 引導——讓 Scrum 團隊自組織的具體方法〉部落格文章點出一個關鍵：

Scrum 架構裡有那麼多的溝通在發生，沒有人可以真正控制事情的進行，主管需要學習其他的領導方式。

於是，我開始從這篇文章中按圖索驥，尋找與溝通、領導、引導相關的軟技能：

- 焦點討論法（Focused Conversation, ORID）
- 團隊共創法（Consensus Workshop）
- 開放空間會議（Open Space Technology）

這些引導技能，水很深，我沒能全盤掌握，但已經夠讓我在公司內推動不少敏捷變革措施。

一路以來，從 Yves 的文章受益匪淺。現在，欣見 Yves 將多年心得整理成有系統的專書，相信更能幫助尚在摸索的芸芸眾生。

部落格文章
〈找出組織無法變敏捷的阻礙 —— 團隊共創法實做〉

部落格文章
〈自己來做到死！——玩授權撲克來學主管如何授權〉

新辦公室的設計理念

部落格文章
〈敏捷X引導——讓Scrum團隊自組織的具體方法〉

Chapter.9
進入戰場

期待您敏捷之旅的心得

很多雞湯文章都說要儘早立定志向，可惜我是一個很懶的人，對我來說把眼前的事情做好就好，沒有什麼遠大的夢想，更別提經世濟民的志向。我從小就功課普通，因為是個常態轉學生，所以一直沒有特別親密的朋友。國中的時候看金庸、倪匡與漫畫的時間多過看課本的時間，也很幸運父母看到我在體制內的掙扎，國中畢業就讓我隨著表弟 Daniel 一同到加拿大讀高中。

到了加拿大後我就更像放飛的鳥，帶了一套《資治通鑑》似懂非懂地讀。過了兩年，網路開始盛行，我就從看書改成網上爬文，不是為了裝文青，而是當時網速 56k 下載一張美女圖要十分鐘，更別提要下載影片了，影片通常是周刊，一個禮拜完成一片。看的東西很雜，把金庸、倪匡重新看了一次，也接觸了風水、星座、鬼故事，不知不覺也上了大學，反正自己也沒特別喜歡的，就應父母的期待讀電機工程系。讀的時候超痛苦，直到近年，我都還是會夢到在考高等數學期末考的惡夢。

也因為想不到大學畢業後要做什麼，於是我開始準備 GMAT，想讀個研究所。就在這時候高中時期的好友胡財驟（Bill Koh）邀請我到新加坡他所創立的公司工作，也就這樣鈦坦科技成為我第一份正職工作。隨著公司從三個人開始發展，我的職務也從系統工程師，到專案經理兼客服，然後擔任資訊部經理，並在 2009 年開始擔任總經理的角色。

從 2005 年開始的期間，我的印象就是跟一群夥伴一起沒日沒夜地加班趕工，那時候我跟范啟明（Kevin Fan）和李境展（Tomas Li）住在同一個社區單位，剛剛好一個人一個房間，Kevin 是工程師，Tomas 是設計師，我是專案經理。當在家裡有緊急事故或需求時，我就直接走到隔壁房間敲 Kevin 或 Tomas 的門，然後就開始開工了，如果需要幫忙我再往外找陳超（Chen Chao）、馮良柱（Feng Liangzhu）或關明強（Meng Keong）求救。

那時候我們常常晚上十點約一起打 Dota 2，常常打到一半就會看到某個人的英雄站著罰站不會動了，通常就代表有緊急產品的事情正在處理所以人離開了，可以從多少英雄角色不會動來判斷現在事故的影響大小，越多英雄不動表示事情越大條。

我是在導入敏捷後，才開始脫離沒日沒夜工作的生活，也才發現原來之前自己的管理方法和工作方式，有很大的改善空間。敏捷除了幫助我們這群老夥伴找回家庭生活的時間，也幫助新加入的夥伴有更多的舞臺，在之前重大事情都需要我們出馬才能解決，也不是我們特別厲害，單純是因為我們陪著系統長大。但隨著新夥伴上舞臺的機會越來越多，很多事情新夥伴也都可以處理了。

在學習敏捷的過程中，Stanly Lau 擔任鈦坦的敏捷教練，每次我回去新加坡都會找他吃飯聊聊，而每次 Stanly 總是能幫我找到思維的盲點，讓我的大腦持續升級進化。Stanly 是新加坡敏捷社群的組織者，也是新加坡敏捷年會的組織者，托他的福我也認識了許多敏捷的前輩，比如 SM 檢查清單的作者 Michael James，也因此有機會將 SM 檢查清單翻譯成中文。發現把英文資源翻譯成中文，既可以幫助自己更理解 Scrum 和敏捷的精神，而且又可以提供給許多朋友參考，於是之後陸陸續續又翻譯了 Stefan Wolpers 敏捷貨物崇拜清單（The Cargo Cult Agile Checklist）。台灣敏捷的前輩們，泰迪軟體的陳建村（Teddy Chen）、Erica、2009 年就開始經營台灣敏捷社群的柯仁傑（David Ko）、章禮慶（Tony Chang，Taco）、余中平（John Yu）、蕭存喻（Richard Hsiao）、陳昭斌（Jonathan Chen）、台中敏捷社群創辦人賴治群（Max Lai）、高雄敏捷社群創辦人張昀煒（Hermes Chang）、葉承宇（Dean Ya）、李佳憲（Neil Lee）、王川耘（Terry Wang）、陳勉修（Michael Chen）、曹昌樺（Gibson Tsao）、劉兆恭（Juggernaut Liu）、廖予暄（Cherie Liao）、林向原（Sean Lin）、李文忠（Jenson Lee）、江佳佳（Annie Chiang）、陳國瑞（Bruce Chen）和各路的敏捷朋友們，總是可以在彼此嬉笑怒罵中，找到亮點，深化敏捷的思維。能夠跟學界的老師交流，也是一大樂事，感謝許懷中

老師、鄭有進老師、查士朝老師、鄭永斌老師、白敦文老師。

在 2015 年新加坡敏捷大會聽到來自德國的敏捷教練 Jutta Eckstein 分享全員參與制（Sociocracy），就開始在鈦坦內部嘗試推動。2017 年當 Jutta Eckstein 和 John Buck 在合著《原來您才是絆腳石》（Company-wide agility with beyond budgeting，open space & sociocracy）一書時，因為他們在找企業內有實施全員參與制與開放空間技術的案例，Stanly 就介紹鈦坦給 Jutta 當作案例，也因此我得以看到英文版尚未出版的內容。一看到這本書我就覺得相見恨晚，如果能早點看到這本書，也許可以讓敏捷的進程加快兩年，所以我自願擔任中文版的譯者，希望可以幫助台灣的敏捷進程加速。

我從小就是害羞不喜歡上台也不喜歡講話的人，在鈦坦導入敏捷之後兩年，Stanly 邀請我到 2016 年新加坡敏捷年會分享鈦坦的敏捷經驗，說實話當時其實蠻抗拒的，但想到這個機會對公司品牌有加分效果，就硬著頭皮上了。沒想到分享後得到不錯的反應，也增加我的信心，從此對於上台就可以很輕鬆地應對，開始了 2017 年全球 Scrum 大會、 2018 年 Agile Me by 敏捷專家協會、 2018 年台灣敏捷高峰會、還有敏捷之旅的各種演講，讓我從一個不敢上臺的人成為厚臉皮到處分享的人。

因為敏捷中提到引導對團隊的重要性，我開始跟 Lawrence Philbrook 和林思玲（Frieda Lin）學習引導的技術。在學習引導的過程中，我發現了自己的不安全感和對團隊的不信任，經由一次一次的練習和反思，我能坦然接受自己的不安全感，並轉換為對意見的開放，讓自己的嘴巴閉得久一些，專心傾聽對方說的話。

讓我記憶最深刻， 也深深影響我的一場工作坊，是 2016 參加由傑拉爾德 · 溫伯格（Gerald M. Weinberg，Jerry）與 Esther Derby 在美國新墨西哥州舉辦的解決問題領導（Problem Solving Leadership，PSL）。 Jerry 是第一

位倡議軟體開發的重點在於人以及人與人之間的溝通，而不是技術本身的軟體顧問，他被公認為敏捷開發的始祖，也被稱為敏捷老爺爺（the grandfather of Agile Programming），Jerry 也跟家族治療大師維琴妮亞·薩提爾（Virginia Satir）合作過多次的工作坊。

當時我遇到 Jerry 時他已經 83 歲了，儘管腿不方便，但眼神仍然精神奕奕，說笑話時還會顯露出頑皮狡黠的笑容。在精心設計的七日工作坊中，我深深體會到溝通影響了組織的發展，也察覺到許多工作上的重工與失誤、人與人之間的排斥與牴觸，很多時候都是來自於不一致的溝通方式所造成的。

只要能夠考量自己、他人、情境三者後，做出適當的行為，就是一致性的行為（Congruent Action）。經由一致性的行為，我們可以更好地與他人連結，從而讓溝通更順暢，工作自然就開心順利了。多位鈦坦的夥伴也有參與這個工作坊，我們一致的心得是互動品質決定了工作品質，也因為這樣的體悟，影響了鈦坦在溝通學習上的深度著墨。

2020 年因為疫情，突然之間多了很多時間，就跟幾位夥伴一起跟台灣正念工坊的陳德中老師學習正念。正念在外表動作上看起來有點類似冥想或靜心，而在操作上會有點差異。

在經歷了八週的「MBSR 正念減壓課程」後，我發現我的肩膀變得比較柔軟，不像之前那樣僵硬，看待事情的角度也變了，可以從更多的視角來看一件事情，很快就能覺察到自己在生氣。正念讓我貼近我自己的感受，陪伴我自己。

因為練習正念而興起了測量腦波的念頭，因緣際會中拜訪對腦波和冥想的關聯性有深度研究的前台大校長李嗣涔博士和蔡熊光博士，也一同創立了氣機科技公司，研究如何運用水晶和撓場科技，開發出能夠幫助提升覺察力和專注

度的產品，希望幫助練習正念的人提升感受、加深體驗，使得正念更容易入門。由於正念的練習會改變大腦運作，降低焦慮、提升幸福感，啟發了我對腦神經科學的興趣，特別是神經語言程式學 NLP 的威力讓我大開眼界。與蔡梅萍老師（Connie）認識是在 2016 年 IAF 國際引導者年會上，2020 年參與了 Connie 老師的「成為最好的自己」NLP 執行師課程，學到除了展現人的狀態改變如何影響情緒，也清晰地知道改變自己狀態的方法。與張譯文老師（Kyle Chang）結識也是在 2016 年的 IAF，Kyle 老師對正面思考有獨到的授課方法，可以深入簡出的幫助轉念迎向更好的人生。也因為與 Kyle 老師的緣分，接觸了許多解釋量子與秘密、與心想事成的影片，對我這種理工腦的人大有助益。

在 2020 年底參與了培訓引導師陳柏宇老師（Adam Chen）的「A+ Expression 邏輯表達術」，Adam 老師也是把 NLP 用到出神入化，讓我理解到在溝通時候架構是非常重要的，會影響對方是否理解與接受。也因為社群朋友推坑王 Gibson 的推坑教練課程，讓我發現了長久以來的盲點，也就是我自認有好奇心。然而，在做教練練習的時候，發現我所有問出來的問題，都是對事情的好奇，而不是對人的好奇，我竟然完全不知道如何問關於人的問題，這讓我深受打擊。達真教練學校的校長梅家仁（Joyce Mei）看我那麼挫折，跟我會談過幾次，協助我找到方法開始好奇人且能欣賞與肯定。

第一次參加薩提爾是 2017 年由 Jean McLendon 和 Hugh Gratz 在新加坡引導的薩提爾成長工作坊，第二次則是 2020 年台灣敏捷協會邀請長耳兔的李崇建老師開三個梯次的薩提爾對話課程。我參加了薩提爾過後發現我更能貼近和陪伴自己，同時也更會做情緒的工作，從對話中與對方用情緒對談，這對超理智的我感到非常陌生，在我過去的用字中，都是呈現事實與邏輯，情感是消失的。所以經由阿健老師的教導，我對情緒像是找回了一個老朋友般親切。

在經歷了以上種種之後，讓我相信只要有好的方式學習與對的人陪伴，人是可以很有彈性與潛能的。而且在自省的過程中，突然閃過一線光芒，我找到以前沒有發現的使命了！我把過去學習的敏捷、管理、商業、經濟學、專案管理、心理學、引導、NLP、歷史、教練、正念等等都串起來了。為什麼我那麼在意是否開心？為什麼我那麼喜歡大家一起的感覺？為什麼我相信引導是對團隊很有幫助的？為什麼我經常發問不喜歡直接說答案？

賈伯斯說：「您無法預先把點點滴滴串連起來，只有在未來回顧時，才會明白那些點點滴滴是如何串在一起的（you can't connect the dots looking forward; you can only connect them looking backwards）。」

我現在看到我的點點們串在一起，成為一幅很美麗的圖像。有一個故事是這樣說的：

> 有一個人來到了地獄，他看到地獄裡面有很多人在搶著飯吃，因為他們所用的筷子竟然有一公尺長，所以很難把夾到的食物放到自己的嘴裡，經常在半途中就被搶走，每個人都為了這些看得到而吃不到的食物，顯露出非常急迫與難堪的窘態。這個人心裡想：「原來地獄的人吃飯這麼痛苦，是因為他們要用一公尺長的筷子來吃飯。」
>
> 後來，這個人又來到了天堂，他看到天堂裡面也有很多人熱熱鬧鬧地在吃飯，而且每個人手上也是拿著一公尺長的筷子，但是他們卻都說說笑笑、很愉快地吃著飯，原來是因為每個人都把一公尺長的筷子所夾到的食物，送到別人的嘴巴裡，所以大家都吃到對方送來的食物，而且吃都吃不完呢！

一念天堂，一念地獄。

當我們彼此控制、指責、疏遠，我們就是在地獄。如果能把控制蛻變成服務、指責昇華成肯定、疏遠拉近為陪伴，我們就是在天堂。

敏捷式管理就是把主管從控制同仁轉變成服務同仁，賦權使同仁可以提供更好的服務或產品給客戶；引導和教練技術則是以欣賞與肯定取代指責；薩提爾模式以情緒為基礎來幫助溝通，拉近心的連結互相陪伴；正念可以讓我們的覺察力提升，更清楚外在內在環境的變化；NLP 讓我們調適轉換狀態，讓自己從容不迫地面對挑戰。

善用敏捷、引導、教練、薩提爾、正念、NLP，就可以打造出工作上的人間天堂。我的使命就是讓夥伴在工作的環境中有天堂般的感覺。每個人來到這個有趣的世界，都會帶著使命，我好奇您的使命是什麼呢？

期待能聽到您專屬的敏捷旅程，讓您周遭的人更幸福與快樂，同時很輕鬆自在地做自己，一起享受成長所帶來的體驗與樂趣。

致謝

有幸能夠得到前輩與朋友們的祝福和肯定，願意推薦或撰文幫此書添加風采，敏捷的世界就是那麼多的支持、熱情和樂趣，從一本個人經驗分享，演變成集體共創的內容，這也是我在當初寫文章時沒有預見到的風景。許多前輩與朋友的推薦與溢美，讓我感到肯定與惶恐，因為自己還有許多的不足，同時也期待自己能更精進、更符合推薦文中所描述的觀察。

感謝所有相遇的前輩和好朋友，因個人能力有限，如內容或是細節有出入，或我們的緣分沒有記載到，有任何的疏漏不足之處，也請多多海涵。

本書的出版，沒有 Tomas Li 這兩年來的多次催促，是不會發生的。感謝 Cindy Lin 的引介，認識了推廣教育賦能的翻滾海貍工作室，以敏捷迭代的方式，加上使用 trello 看板，督促著我一起催生了此書，感激遇到這麼好的編輯出版團隊。之間 Kevin Fan 提供了許多小故事，Allan Tan 也是幫助潤飾了許多部分，特此感謝所有協助出書的朋友。

封面是由多年好友葉千綸設計，讓本書披上一面古地圖和充滿戰略感的華衣，加入衝突管理中的五種衝突解決策略：

1.「競爭」（Competing）：堅持己見與不合作。
2.「協作」（Collaborating）：堅持己見但合作。
3.「逃避」（Avoiding）：不堅持己見但不合作。
4.「順應」（Accommodating）：不堅持己見且合作。
5.「妥協」（Compromising）：中度堅持己見且中度合作。

如果雙方往「協作」的路上前進，就可以找到皇冠，讓彼此都雙贏。

我很喜歡這個意象。

感恩在我生命中所發生的一切，還有一路上所遇到的貴人，以及所有幫助鈦坦的老師們，很多時候我都不知道接下來會發生什麼事，因為有您們的支持讓我走到現在。

特別感謝台灣敏捷界的前輩與好朋友們，因為有你們讓我學習到很多，也讓這個旅途變得更有趣：李智樺（Ruddy Lee）老師、董大偉（David Dong）老師、陳建村（Teddy Chen）老師、劉珮茹（Erica Liu）、徐柏峯（Percy Hsu）老師、周龍鴻（Roger Chou）老師、2009 就開始經營台灣敏捷社群的柯仁傑（David Ko）、章禮慶（Tony Chang，Taco）、余中平（John Yu）、蕭

存喻（Richard Hsiao）、台中敏捷社群創辦人賴治群（Max Lai）、高雄敏捷社群創辦人張昀煒（Hermes Chang）、內湖敏捷創辦人葉承宇（Dean Ya）、王川耘（Terry Wang）、李佳憲（Neil Lee）、陳勉修（Michael Chen）、曹昌樺（Gibson Tsao）、劉兆恭（Juggernaut Liu）、廖予暄（Cherie Liao）、林向原（Sean Lin）、李文忠（Jenson Lee）、江佳佳（Annie Chiang）、陳國瑞（Bruce Chen）、陳正瑋（Cheng Wei Chen）、賴楚翔（Chu-Siang Lai）、蘇家郁（Herdy Su）、陳胤孝（ Robert Chen）、楊伯謙（Po Chien Yang）、黃國瑜（Vince Huang）、王家駿（James Wang）、劉昱廷（Murphy Liu）和各路的敏捷朋友們，總是可以在彼此嬉笑怒罵中，找到亮點，深化敏捷的思維。

感謝因 Odd-e 結緣最溫暖的敏捷教練 Stanly Lau、最會開腦洞的滕振宇（Daniel Teng）、深不可測的呂毅（Lv Yi）、幽默風趣的 Terry Yin、最熱血的自走炮陳仕傑（Joey Chen，91）、寡言又深刻的麥天志（Steven Mak）、把敏捷從荷蘭帶到新加坡的 Bas Vodde、穩定包容的 Yeong Sheng，Odd-e 是讓敏捷進入亞洲功不可沒的推手。

很幸運能與 Patrick Tay、Peter Larsson、Kevin Fan、Tomas Li、Chen Chao、Liangzhu Feng、MengKeong Kwan、Chandra Setiadji、Lau Kheng Soon、Jim Lai、Maryanto Liauw、Jasmine Huang、Jonson Chen、Griffey Gao、Eviler Chuang、James Lai、James Hou、Leo Chiang、Toh Lengwee、Janet Teo、Poosiang Khor、Gerald Chow、Allan Tan、Wang Ning、Brendon Yip、Zhaoxin、Sam Huang、Joanna Zhan、Kelly Yu、Tess Fang、Maruko Huang、Steve Yeh、Howard Kuo、Norman、明麗姐、Kyo Lai、Alex Liu、Pauline、Sharon、Johnson Koh、Loma、Ace、Vignesh、Sol、Faust、Cindy Lin、Joey Chen、Weijing Wang、Sam Chong、Angle Lu、See Hsieh、Angela Wang、Mia Tsai、Chi-Chun Lin、Vincent Lai、Bell Chen、Hsin Ke、Kyo Lai、Wuu、Mallikarjuna S Kaveti、Ethan Lee、Mark Chang、Nadia Liao、Winny Huang、Ezra Hwang、Eric Chen、Ken Chiu、Ina、Lili

Liu 與所有在鈦坦結緣的夥伴們一起玩，一起探索，因為有你們所以這個旅程充滿了歡樂。

感謝 Jessie、Eva、林政遠（Tony）、吳旻、HIVE HOTEL 嗨夫精品旅館的夥伴、ELIZ Group 艾立思軟裝集團的夥伴，讓我看到軟體產業外不同的風景。

感謝 Ah Chan、An Yong、Anan、Andrea、Angeline、Arun、Bill、Cawei、Cecil、Charles、Chee Hao、Chester、Chris、Danny、Desmond、Di Ge、Dua Ge、Edward、Evon、Febi、Ferdy、Franky、Fong、Gary、Glenn、Han Ge、Hendry、Jacky、James、Ji Jia、Jing、Jeery、Jessie、Jerry、Joshua、Joy、Ken、Kennedy、Kevin、Lara、Leng、Leong、Ling、Louis、Lukas、Michelle、Meng Ge、Mike、Mu Zi、Orson、Pat、Peter、Raf、Raye、Peter、Ronnie、Sanleong、Steven、Suwandi、Suwanto、Sky、Terrence、Tong Ge、Wei、Xiao Ge、Xiong Ge、YK、YY、Zoe 與所有我在世界各地浪跡天涯時一起開心的朋友們和一路支持的貴人，感謝你們讓我體驗到各地不同的文化和風情。

感謝 Bill Koh、Datuk、Doctor、Tim Chen、Wade Chou、Tim Chou、Jim Chou、Suzie Tseng、Joy Chou、Walter Lu、Paul Lu 和所有高中時期的朋友們，如果沒有你們加上日劇和 Nintendo 64 的陪伴，高中的我生活不會那麼有趣。

感謝 Ian Lee、Joseph Yang、Ken Hu、Calvin Su、Norman Wang、Jack Wei、Samantha Yu、Soyoung Lee、Brian Lu、Junhong Lin、William Liu、Jason Lai、Rex Wang、Julia Lin、Min Mak、Kelly Wong、Sandy Chen、Nelson Chen、Mag Wong、Danielle Wong、Ronan Tong、Vivian Kuo、Lillian Kuo、Tony Man、Amy Hsu、Peter Chang、Alice Lin、Ivy Huang、Tina Hsu、Cathy Huang、Jill Huang、Antony Wu、Chester Cheng、

Samson Chou、Po Chang、Brendon Su、Isaac Siu、Jim Ou Yang、Mandy Cheng、Eric Ding、Michael Cai、Eugene Hyun、Johnson、Jasmine Huang、Eric Chu 與其他在麥克馬斯特大學（McMaster University）結緣的朋友，能有無止境的時間打麻將、追港劇、看著慢臺灣幾個月的吳宗憲《我猜我猜我猜猜猜》、打保齡球、打 RO，有盡情揮霍青春的自由，是一種愜意。

特別感謝系上的朋友 Junhong Lin 和 William Liu 的拉拔，如果沒有你們，我相信我無法大學畢業，再次特別寄語表達感激。

能夠在出社會多年後再次體驗學生時代的青春熱血，感謝 Robin Lin、Peter Tsai、Julian Weng、Yifu Lin 還有當兵時候的同梯們。

大馬走跳團的朋友們，讓我在台灣也能感受到東南亞的熱情。

能有工作和生活中都也可以一起努力、一起玩、一起學習成長的好朋友，真的是很大的緣分，感謝大氣果斷的胡財驥（Bill Koh）、冷靜溫儒的俞緗綺（Karen Yu）、好奇勇敢的范啓明（Kevin Fan）、爽朗直白的李惠娟（Tanya Li）、坦率幽默的李境展（Tomas Li）、率性自然的李嘉倩（Nancy Li）、超越框架的陳超（Chen Chao）、體貼細膩的李旭紅（Li Xuhong）、邏輯理性馮良柱（Feng Liangzhu）、堅毅勤奮的傅穎華（Vivian Fu）、老實謙和的高嘉謙（Griffey Gao）、認真仔細的余欣茹（Amber Yu）、溫柔風趣的劉慶順（Lau Kheng Soon）、溫暖親和的黃麗華（Ng Lie Hua）、仙氣飄逸的陳文能（Allan Tan）、細心超然的余彩寧（Natalie Yee）的陪伴。

儘管家人們都在不同的領域努力，在需要的時候總可以彼此陪伴，感謝所有的家人親戚，族繁不及備載，僅以聊聊數語特別致意。

感謝永遠都保持樂觀正向能量滿滿的姑姑們，林麗華大姑、林麗娟二姑、林素末三姑，也謝謝三姑在退休後還大力幫忙嗨夫精品旅館 Hive Hotel，參與從設計到營運的創辦期。

從幼稚園就教導我的陳雪燕阿姨，與陪伴我度過迷失青少年時期的舅舅陳柏欽、舅媽蕭如意。

可以談天說地百無禁忌的表哥表嫂們，洪逸偉、蔡媛萱、賴昀辰、蕭綉棉，賴昀駿（Jim Lai）、范舒琴（Shuchin Fan）、吳亭鋒（Daniel Wu），跟你們聊天總是很輕鬆自在。

認真一起學習敏捷的夫妻檔——方聖硯（Chester Fang）、王韋晶（Jean Wang），看到你們的練習總是很感動。

支持與陪伴太座成長的家人長輩們，鄭仁發爸、楊金枝媽、洪德華爸、戴秀珍媽、鄭雲婷大姐、鄭雲真（Angela Teh），很開心能與你們結親。

理智慈悲的阿立、積極貼心的阿蓉、善良純厚的林楷昊、聰慧活潑的饒曼齡，很幸運能時不時聚一聚，分享彼此的成長與體驗。

感謝認真豁達的父親林德盛和纖細體貼的母親陳雪蓉，你們教導我如何覺知周遭的情況，認真的看待事物，把手上的事情認真做好。

如果我在專業上還算有所表現，很大的原因要歸功於理性感性兼具、獨立又充滿彈性的太座鄭穎琪（Shayne Teh）的支持，讓我得以把許多心力投注在工作與成長上，膽大心細的林湘汝（Vera Lin）與天馬行空的林兆頡（Ryan Lin），這兩位愛玩的孩子，總是帶給我源源不絕的靈感、驚喜與學習，願我所做的一切，能幫助他們活得更快樂、更自在、更幸福。

附錄
各方推薦

敏捷，不是快！是回到本質的企業經營哲學

馬珮玉　Claudia Ma
前奧美互動諮詢中國區副總裁，現任量子高管教練

　　第一次讀 Yves 寫的這本《敏捷管理生存指南》時，我剛好加入一位廣告界教母級長輩想創造的新型態整合行銷公司，經營團隊都是在兩岸廣告傳播界裡歷練超過二十年的資深夥伴。我們正討論著這家公司該如何打破國際 4A 廣告公司傳統的組職架構與工作流程，能用更貼近客戶需求與更有效率的方式為台灣傳產與新創企業打造品牌影響力，發揮行銷策略與創意的價值。但幾次討論都停留在經營理念，對工作流程的想像仍陷在過去服務大型國際客戶的經驗裡：從客戶年度需求會議，到年度廣告傳播策略提案，來回幾次確認後，就按照時間表開始創意發想和製作上線。然而，世界已經變了。去年的新冠病毒就是很好的例子，打亂所有品牌的行銷規劃，至今很多品牌對 2021 年的行銷策略方向是什麼仍舉棋不定，只好兩手準備。加上數碼科技帶來的信息碎片化時代，過去靠一支電視廣告加上建網站粉絲頁投臉書廣告打天下的思維與模式已無法有效地連結消費者，這些所有的變動讓我們團隊反而不知道要如何下手規劃。

　　正好讀到本書的「敏捷的四大價值觀」：（1）個人與互動重於流程與工具（2）可用的軟體重於詳盡的文件（3）與客戶合作重於合約協商（4）回應變化重於執行計劃。回想廣告創意行業之前的輝煌發展，完全符合敏捷的這四大價值觀，然而在規模發展後加上被上市財團併購，以財務指標為唯一考量的廣告創意業後走向完全相反的方向，也讓整個行業從創造走向工廠製造的生存模式，失去創意的價值。書裡的字裡行間引導我走出迷霧，尤其是可行動的創意重於一百多頁的企劃書、及與客戶合作彈性調整創意與行銷方向重於原本合約內容，這才能貼近客戶及影響最終的市場。

書中 Yves 分享了導入敏捷成功轉型的三大關鍵：「主管定義」、「領先指標」、「企業文化」，早期曾在奧美工作的廣告人大都還能回味起奧美文化的「人、知識、創造力」與充滿熱情的紅色，在這個文化下孕育出很多撼動人心的廣告作品與人才，而我也見證了「領先指標」沒設好帶來的企業衰敗，與主管定義環境變動的亂象帶來人才流失、專案失敗與成本結構失衡。我只能説 Yves 無私地分享很多寶貴的實務經驗與實用的工具，尤其是他總結的「敏捷八不」，讓我看到從流程為主的思維，走向另一個以人為主的極端，透過一次次的行動復盤後修正到中軸的敏捷轉型樣貌。

過去服務 IBM 的品牌行銷時，常常在文案中講敏捷，那時候見到的僅是「術」，本書我看到「心法」與「術」的結合，那是一種從裡到外的整合思維與行動指導。對我來說，「敏捷」是回歸本質的企業經營思維，還真不只是給軟體開發團隊的工具。結合思維，透過敏捷的工具與方法，把企業的神經網絡連動起來如同人體，才能有機地馬上反應環境變動，這是創造企業永續經營的起點。

我們以為小行星撞地球帶來恐龍的滅絕是好幾世紀前的事，真實是無論生活環境或商業環境，改變只有隨著時間加劇與加速。面對劇變的環境，敏捷背後的思維與經營哲學，不僅為企業也為個人帶來強大的彈性與適應力，但重點是我們必須把敏捷的思維化為一次次的快速行動，在做中學習、在體驗中創造。真誠，帶來資訊的對等透明，在復盤的自省會議中，才能凝聚每次快速行動的集體智慧，往學習型組職的目標邁進。

企業在敏捷轉型中開始賦權給參與的員工，使人從「聽命於事」、走向「負責」（把事做完），最後能真正「當責」（為結果負責），這過程需要管理層敢授權的承擔與員工學會為結果負責的擔當，這都是需要很大的勇氣。如同 Yves 在書中問到的：「你，準備好了嗎？」

Facebook

你是否有關注當下所發生的？

費樂理　Lawrence Philbrook
CToPF CPF
文化事業學會（The Institute of Cultural Affairs）

　　當 Yves 請我為他的書寫幾句話的時候，我不確定要說些什麼。我試著與所有的客戶建立長期的學習夥伴關係，並且讓這段關係成為共同成長與學習的過程。在這個過程中，他們是我的合作夥伴，或是與我共同引導這個過程的開展的人。

　　大約在 2015 年，Yves 打電話詢問我關於引導的問題，並且也問我是否能夠幫助他們把引導應用在敏捷的實踐中。關於這點，我很欣賞他，因為他不是來我這裡找答案，而是希望能夠藉由體驗和探索來共同創造改變。

　　Yves 認知到他與他的社群正持續走在一個學習的旅程中，這點吸引了我的注意力。我不確定敏捷是什麼，但我已經從事引導很長的一段時間了，所以我很高興能與他進一步對話。這開啟了一段我和他本人，以及他的公司的旅程，而這段旅程到現在仍然在進行中。這段旅程開啟了一個新世界，讓我能夠探索如何整合（敏捷與）引導，而我也享受這段與他一起學習及分享的過程。

　　我喜歡向 Yves 以及他的學習者社群體學習。 Yves 一直奮力尋找資源，來讓他能夠獲得突破並且更上一層樓。

　　我發現敏捷的思維和引導的思維幾乎是完全相同的。引導要做的是與使命校準，同時允許團體和引導者能夠在過程中流動並且發揮最大的潛能。它是關於如何妥善使用方法和工具，而不讓它們凌駕了探索的過程，並且專注於團隊和個人的智慧。只有在需要的時候才挺身出來領導，與此同時盡可能地隨順團

體。

　　引導總是會回到同一個問題：「你是否有關注當下所發生的？（感知當下並保持正念覺察）你是否運用你個人以及團隊的洞察，來探索並找出最佳選項？（直覺與智慧）還有最後一個問題，我們從這段經驗中學到了什麼？（反饋以及下一個迭代的選項）」

　　恭喜你完成這本新書，並且開啟人生的新篇章。

When Yves asked me to write something for his book, I was not sure what to say. All of my clients are collaborators or co-facilitators with me and I try to build a long-term learning relationship in which both of us feel we are growing and learning in the process.

He called me a little over five years ago in 2015, asking me about facilitation and could we help them with applying this to their Agile practices. I appreciated that he was not looking for answers, but experience and questions to help co-create the changes.

His awareness that he and his community are on a continuous journey of learning caught my attention. I was not sure of what Agile was, but I had been working in facilitation for a long time, so I was glad to talk further. This started a journey with his company and with him that is still going on. It opened a world of exploration for integration of authentic facilitation that I have enjoyed learning and sharing with him.

I enjoy learning from Yves and his community of learners. Yves is always striving to find the resources that will push him to the next level of breakthrough.

I discovered that the Agile mindset and Facilitation mindset are almost identical. The task is to stay aligned on the mission while allowing the group and the facilitator to flow in a way that brings out their best. It is about methods and tools without allowing them to dominate the exploration, and focus on the wisdom of the team and individuals. Leading only as much as is needed and at the same time following as much as is possible.

It always comes back to the same questions, "Are you paying attention to what is happening? (senses and mindfulness of being in the moment)? Are you exploring to find the best options with your own insight and the insight of the team? (intuition and knowledge), and lastly - What we are learning from the experience?" (Feedback and options for the next iteration).

Congratulations on your new book and this chapter in your life.

不再只是一種新型軟體開發方法

吳咨杏　Jorie Wu

IAF- CPlM & Assessor

朝邦文教基金會執行長

引導協會認證專業引導師暨評審

　　我和敏捷的初接觸始於 2018 年協助文化事業學會費樂理老師（ICA Larry Philbrook）在新加坡商鈦坦科技公司教授焦點討論法的有限經驗。這個經驗開啟我對敏捷的好奇，以及跟引導的關聯的初步了解。

　　開始的時候，我以為敏捷只適用於軟體開發公司，後來因為我所服務的客戶雖然不是軟體科技業，也非常強調組織要「敏捷」。我才了解到敏捷已成為一種精神／思維、一種組織管理的文化；不再只是一種新型軟體開發方法與能力。

　　這是一個小步快跑的時代。組織敏捷化是為了增加彈性，不只是求快，而是在高度不確定的環境中透過「快速迭代」的方式，於短時間內產出成品並持續追求進步。敏捷化的組織就是善用對話、引導、反思，學習，增強團隊自主性、迭代力、創新力與優化力。而引導可以協助組織敏捷化是因為兩者都強調：

　　(1)自組織－自主管理，整體中的每個人的聲音都是有意義的，自組織和創新思維的先決條件其實就是引導的精神。引導專業有很多工具，如：開放空間會議、深度匯談等都可以協助釋放組織創新、自主性。

　　(2)強調體驗學習與反思，如：焦點討論法（ORID）提供一個好架構進行敏捷的反思自省會議。

Yves 所推廣的活動「敏捷思維推廣計畫」獲得朝邦文教基金會舉辦的第一屆「對話影響力」銅牌獎（2019）。為了推廣敏捷思維，Yves 在擔任台灣敏捷協會理事長時不遺餘力地舉辦工作坊、讀書會，讓學員們透過實際討論及案例分享，深入瞭解如何將敏捷精神運用在不同專業領域。其中值得一提的是「敏捷式對話」。這個對話方式鼓勵組織內全員參與，場合或形式不拘，主張開放式交流，並鼓勵所有參與者說出自己的想法同時可以聆聽其他人的想法。在這種公開透明的對話方式下，每個參與者都是平等的，並在有效的時間內，做出大家認可的決定。這樣的精神符合「對話的元素與精神」——平等待人、同理聆聽、浮現假設、好奇的學習。對話在敏捷文化的確是非常重要的素養！

Yves 俗稱敏捷黑手阿一，根據他自己的敘述是一位「Trying being agile in the fun way；喜歡並相信敏捷開發；期許能帶入一些不同的思維，能讓華語圈不只軟體產業，其他產業也都可以更敏捷的人」。這本新書，他用一貫輕鬆活潑的文字，加上個人豐富的經驗講述敏捷的原則、理論、案例、迷思，讓人很容易閱讀，也可快速對敏捷有全方位的基本了解。如果您聽過敏捷，或是想讓工作更有趣，溝通更順暢的人，這絕對是必讀的好書！希望您閱讀後會覺得這是一本輕鬆有趣、有方法的敏捷科普書，進而瞭解敏捷不只是「術」，也是一種「道」，協助您在霧卡時代更能撥雲見日，有信心地小步快跑前進！

自我覺察是自我管理的基礎

陳德中
台灣正念工坊創辦人

　　非常欣賞作者所言：「我們需要越來越少『管理人』的管理者，但需要越來越多能『自我管理』的管理者。」能讓一個人增進自我管理的方法當然很多，而自我覺察，絕對是不可或缺的一環。我跟 Yves 是在正念課程（一套培養專注與覺察的心智訓練）中認識的，很高興他將出版這本敏捷專書，我自己讀後受益良多，也鄭重推薦給讀者們。

持續豔遇探索未知、刻意擦傷創造價值

黃國瑜　Vince Huang
KKTV 總經理

2016 年，因為參加了鈦坦科技舉辦的「資料科學競賽」，認識了 Yves 與敏捷，還記得第一次跟 Yves 聊天時，我的問題就是「鈦坦科技為什麼要導入敏捷？」Yves 很坦率地說「因為用原本的方法看不到未來，只好死馬當活馬醫。」感謝這段豔遇（Serendipity）讓我認識了台北敏捷社群一群老司機們，也開啟了我的敏捷學習歷程。

拜讀了 Yves 的新著作《敏捷管理生存指南》，閱讀過程中滿滿的畫面感。開始接觸敏捷時，花了一些時間讀了很多敏捷的相關資料，想說書上說的不就是照做就好了嗎？有什麼難的？但實際操作之後才發現，我還只是在「做敏捷」的階段中。如同書中所描述敏捷轉型成功的關鍵在於：「主管定位」、「領先指標」和「企業文化」，缺一不可，每一段歷程都是需要團隊一起學習並建立共識才能成功的。不管你是初次接觸敏捷，或者已經是敏捷老司機，《敏捷管理生存指南》幫你整理了很多知識，這些都是你在敏捷學習路上的「錦囊妙計」。

如果問我這段學習敏捷的過程中，最大的學習是什麼？我會說是「持續豔遇探索未知、刻意擦傷創造價值」。如《敏捷管理生存指南》所說「敏捷其實是保守主義」，很多時候對未知的風險，只是我們沒有充分理解到我們不知道什麼？唯有持續探索未知才能減少致命的錯誤決策，小小擦傷不會造成致命風險，但每一次擦傷的學習機會，都能為終極目標創造更多價值。

擁抱「改變」從「敏捷」出發

邱煜庭（小黑）　YuTing Chiu
企業成長顧問

Agile，中文直譯稱為「敏捷」，或許你或多或少在這幾年都有聽過關於「敏捷開發」、「敏捷XX」等觀點。但 Agile 本身的含義用「敏捷」兩個字，對於許多人來說會被字面上的含義所箝制，因為 Agile 除了字面上的「迅速」之意外，更重要的是「彈性」，也就是面對問題時能夠快速反應，不受限於既有經驗跟規則，而做出更好地改正方向。

傳統在蓋房子，就是一磚一瓦的慢慢堆疊上去，如果到了後期才發現某個地方沒蓋好，就只能整個敲掉重來。但是近代的建築工法都逐漸改用「模組式」或是「預鑄式」的方式在蓋房子，也就是把每根樑、每根柱都是預先做好，甚至連房間都先做好了，工地現場只是做模組的組裝而已。雖然不像積木可以哪裡壞掉哪裡拆，但卻大幅的提升了建屋的速度。

當然看到這裡你或許會說：寫程式跟蓋房子又不一樣，這樣的類比是錯誤的。那我真切地希望你把本書看完，Agile 從來都不是一種做事情的「方式」，而是面對事情思考如何進行的「心法」以及面對事情的「態度」。

你能接受朝令夕改嗎？希望你能接受朝令夕改，絕對不是要你接受「隕石流」開發法，而是在做事的過程中如何透過 Agile 的心法，預留對這個快速改變的世界的彈性，預先洞悉可變的未來而不是只做當下的事情。翻開《敏捷管理生存指南》，重新了解一下什麼是 Agile 吧。

擁有面對現實的勇氣

陳芝蓉　Christian Chen 律師

認識作者好幾年，儘管外在環境如何變化，但他的學習熱忱及持續的閱讀習慣卻沒有改變，總是不間斷學習吸取新知，我經常看到作者隨手一本書，每次手上的書都是不同領域，也不限於與他的工作相關的科技、管理層面，且因為他很樂意將所獲得的知識分享給周遭的朋友，所以我喜歡跟他聊天，因為「聞君一席話，勝讀幾本書」。然而作者最讓我欣賞的，莫過於作者身為一位社會成功人士，但卻始終保持謙虛學習的態度，沒有絲毫的傲慢與自滿。

因為自身曾擔任過科技公司的法務主管，除提供法律意見外，尚參與公司營運業務、軟體開發之合約、運作及風險評估，與不同部門團隊合作，直至現今轉戰法律事務所，仍然深覺團隊合作對於工作上的良好產出至關重要。因此，讀完本書後，我發覺不只是軟體開發可以應用敏捷，更可以把敏捷應用在團隊合作、管理的面向，敏捷化不只是理論，更是一種應付瞬息萬變環境的必備思維。

本書仔細剖析在工作領域導入敏捷的過程中遭遇的挫折與疑難，由自身辛酸血淚中體悟出「敏捷八不」，使讀者不致於重蹈覆轍，並將其所經歷過的導入方法，毫無保留的在本書中呈現，又運用實際公司案例，深入淺出表達敏捷的核心觀念，讓非科技專業的我也感受「敏捷」的魅力，因此不論是對於正在團隊管理中導入敏捷，或是單純對於敏捷好奇的讀者，本書都具有極高的參考價值。

最後，分享本書讓我最有感覺的一段話：「所以，不面對現實活在自己的想像中，也許會過得比較輕鬆愉快；然而選擇面對現實，持續成長和改變，也許充滿壓力和挫折，但可以提高存活的機率。能存活下來，才能自由地選擇自

己想要的方式。」現實環境不會因為我們不喜歡就不存在或者自己改變，期待身處在這個動盪世代的我們，都能擁有面對現實的勇氣，以及不斷迭代、持續成長的能力。

敏捷企業管理的武功祕笈

許懷中　Wesley, Hwai-Jung Hsu
逢甲大學人工智慧研究中心主任

首先要非常感謝 Yves 邀請我為他的這本「絕世武功的祕笈」作序。

　　但是這成功並非偶然，除了 Yves 與鈦坦管理階層的遠見與堅持，在實踐敏捷方法的同時，鈦坦也經歷了企業文化的質變與量變；敏捷方法的基礎是敏捷宣言（Agile Manifesto）以及十二條敏捷原則（Agile Principles），基於上述兩者有許多不同的實踐如 Scrum、極致編程（eXtreme Programming，XP）、看板方法（Kanban），各種方法可以說是敏捷的核心精神如價值驅動、檢視與調整（Inspection & Adaptation）的迭代、以參與者為本、自組織（Self-organization）以不同的方法與面向的展現與實作，同時這些方法大多保留相當程度的空白與模糊性，以 Scrum 而言，寥寥十數頁 Scrum Guide 就將 Scrum 方法所有的元素都講完了，相較於過去由許多大部頭所構成軟體工程方法，Scrum 可以說是非常原則性、非常具有彈性的，但也正是這個彈性，常常讓許多主管、企業在引入像 Scrum 這種方法的時候，陷入到底怎樣做才對的疑惑之中。

　　也因此，有許多曾經經歷敏捷導入過程的夥伴們，如敏捷三叔公 David Ko 等，紛紛開班授課，傳授敏捷的內功心法，希望可以幫助有意導入敏捷的企業或主管們，可以從他們的基礎出發，打造出屬於自己的敏捷方法；反過來說，導入敏捷方法沒有所謂對錯，只有是否適合、能否創造價值、能不能持續進行；進一步來說，終極的敏捷實踐，將會徹底改變企業的文化，讓你的企業不再是一個導入敏捷方法的企業，而是一個敏捷的企業；看到這邊，讀者們一定會問，那該怎麼做呢？這就是這本書的特別之處了，過去的敏捷書籍大多專注於在軟體開發上實踐敏捷的各種經驗，成功與失敗、收穫與代價，所以在一

些組織相關，如自組織的議題上，總是十分含糊、甚至是無法解釋，在這本書中，第一次有人從整體企業的高度來看敏捷，探討企業文化型塑與改變的軌跡，專注於探討「人」，探討組織中的人們在實踐敏捷方法時的第一印象、誤解、迷失以及目前堪稱成功的實踐。

也因為如此，我稱這本書為敏捷企業管理的武功祕笈，然而，這本書又不僅僅只是祕笈，更是武功祕笈的目錄；因為敏捷與其說是一種方法，不如說是一種形而上的精神更為恰當，Scrum、XP 等方法僅是實踐這種精神的框架，然而在實踐的過程中，往往會發現中間缺少了許多元件，以致窒礙難行，例如說 Scrum Master 要引導團隊，何謂引導？怎麼引？如何導？就像 Yves 曾經說過的，他當初認為引導就是「引誘與誤導」，結果在組織中造成了一些不良影響，這些在敏捷方法中一言一語帶過的各種「工具」，背後其實都是整套的體系與理論，學習與實踐這些體系與理論，從管理階層到基層員工，都需要大量教育訓練資源的投入，需要謙虛去接受新的想法，需要勇氣去嘗試新的事物，需要批判思考去質疑方法與實務上的差異，而在這個過程中，一個具有開放思維、勇往直前的企業文化也就隨之形成。而在這本書中，讀者們會看到 Yves 旁徵博引，整理了各種在邁向敏捷企業的路途上，在各種不同的情境、狀況下，需要用到的各色武器與工具，Yves 一方面簡明扼要地提點其精華，另一方面也讓讀者們在實踐的路途上有所倚靠。

最後，誠心推薦各位 Yves 的這本新書，這裡面有跳坑、有出坑、更有挖坑，同時也是目前所僅見，從企業角度出發的敏捷專書，是 Yves 十數年敏捷之路的集大成之作，不僅僅是經驗分享，更是碰上疑難雜症時可以翻找解決方案的敏捷企業工具書，在敏捷之路上前行，這本書確實是各位行過、路過、不可錯過的寶典。

賦能（Empower）企業，改善組織的體質

楊光磊　Konrad Young

前台積電處長，現任產業／投資顧問、大學兼任教授

「故善用兵者，譬如率然。率然者，常山之蛇也。」——孫子兵法九地篇

　　我第一次接觸敏捷管理是透過 LeadBest Consulting Group 的執行長李佳憲，當時我還在台積電研發組織、負責先進技術研發管理，一直努力要改善研發組織只重視快速成果的效率（efficiency），而缺乏強化 production capability的效能（effectiveness）思維，直到被時任「遠時數位科技股份有限公司」技術長的李佳憲邀請和公司研發團隊分享半導體產業的研發管理經驗時，在遠時的現場，親眼目睹網路公司如何用敏捷方法和管理文化，在研發產品的過程中快而有序，並同時檢測、確定高品質的成果，讓我這一輩子在半導體領域習慣有條不紊的研發管理人，留下非常深刻的印象，也開始思索如何在半導體領域中、借重軟體界的敏捷管理，改善研發組織的效能。

　　之後兩年多前從台積電退休，有機會參與我過去不熟悉的軟體產業，在社群探索中開始認識一些年輕優秀的朋友，其中包括我仰慕已久的前新加坡商鈦坦科技總經理、敏捷專家 Yves Lin 林裕丞，前幾個星期、正巧有機會和 Yves 面對面交流，沒想到我們年紀背景不同，竟然一見如故地聊了很多精實組織的理念與想法，所以當他邀我爲他的新書寫序，我完全不假思索地答應下來。

　　我自己的職涯，從美國公司的一個基層研發人員做起，藉著系統文化和智能工具，常常經歷如何用精實的人才團隊，創造比擁有大量資源卻用「人海戰術、勤能補拙」的組織更好的結果，我也秉持著精實文化，在 1995 - 2005 年間的台灣半導體，培養新一代有整合能力和高效能的研發人才。

有幸先拜讀了這本《敏捷管理求生指南》，讓我聯想到自己過去在半導體產業許多成功與失敗的案例，發現「敏捷管理文化」不但可以應用在變化快速的網路產品，更可以賦能（empower）傳統的大、中、小型企業，改善組織的體質，由內而外地強化公司的效能，更能夠擴展全球市場，進而培養台灣下一代有能力改變世界的人才！

　　我很榮幸為年輕實業家與作家林裕丞寫序，我在他身上看到台灣未來無窮的希望！

Facebook

當敏捷成為一種口號，真正的落地實踐是什麼？

李佳憲　Neil Lee

LeadBest顧問集團　共同創辦人暨執行長

悠悠卡股份有限公司　董事

台北市政府財經小組　顧問

　　記得十年前當時的敏捷還只是在技術論壇中工程師們討論的一個開發方法論，大家都是看著網路找到的資料回到自己的團隊土法煉鋼地導入，十年後的今天隨著網路產業的興起，數位賦能已經是所有產業所需要的一種思維和方法，但如何真實地在台灣產業落地實踐，本書中提供的不僅僅是心法，更多是搭配推動敏捷組織的各種管理工具介紹，和真實現場所遇到的困難。

　　敏捷思維需要的不僅只是框架，它是實踐科學，唯有身體力行去執行，才有辦法形成一個屬於組織特性的敏捷組織，《敏捷管理生存指南》用了非常多的故事可讓讀者身歷其境體會當中的細節，讓敏捷不僅是個口號，更能協助每個企業解決問題，面對 VUCA 世界。

可幫助教練式領導落實的系統

梅家仁　Joyce Mei, MBA
Master Certified Coach of ICF
達真國際教練學校創辦人

　　認識 Yves 是在我們達真的教練課程裡，第一天看到他，穿著短褲、拖鞋，露出憨憨的笑容，話不多，但是很簡潔，讓我很驚訝的是他的公開、透明及非常的誠實。當我們做 GROW Model 演練時，我聽到他的議題是如何在一年至少賺 500 萬元，各位要知道，現場的同學們彼此都不認識，不過是達真的第二天的課程，Yves 願意將自己的問題如此敞開，給大家教練，這是很不容易的。我心想這個年輕人的志向好大、也好淳樸呀？！於是我開始好奇他的背景，跟他產生了進一步的接觸。

　　在認識他的過程中知道他是鈦坦的前總經理，他們的公司是台灣努力將敏捷系統導入而成功的公司，也是我知道的唯一能夠將薪資透明化的一家公司，上去他的 Blog 讀資料後，發現這位年輕人的思想好豐富，敏捷的世界經過他的介紹，變得非常得迷人！

　　敏捷的迷人對我而言在於它能夠讓系統公開透明、讓員工自己做決定與當責，而產出的結果是快速且讓客戶滿意的。敏捷教練負責將團隊的問題透明化，讓團隊可以真正有效能運作，如果「教練式領導」需要一個系統來落實，我認為敏捷就是答案了。

　　Yves 是我的敏捷老師，因為他我開始學習敏捷，也把敏捷介紹給我的重要客戶，我自己的教練學校及達真人本關懷協會，也開始導入敏捷。這些都是Yves 的影響力，他雖然話不多，但是他的經驗是實在的，從他對我客戶做的簡報，我知道這位領導人是不講廢話也不浪費時間的。Yves 最常問我的就是

「你為何要導入敏捷？」顯然他希望我也考慮別的選擇，敏捷並不是唯一的選項。這個經驗告訴我的是 Yves 並不執著於這個系統與這個經驗，這個「開放度」是我很欣賞敏捷領導人 k—Yves 的特質，而這個特質在這本書裡也完全的展現。

另外，Yves 展現的一個重要特質就是不斷地學習與改進（Never Stop Improving），從上教練學校的第一天開始，Yves 每次都把學習到的技能，很快地應用在他的同事身上，也不管他自己是否精熟這個經驗，當然這麼做也會帶來挫折，但是不斷練習的好處是：他可以從別人的回饋裡面，很快地改進，這也是敏捷的 Scrum 系統很重要的精神：短衝（Sprint）—回饋—改進！短短的半年時間，我看到 Yves 從一開始學教練的純理性、低同理心的領導人，變成了高度同理，能無我利他的一個領導人，如果各位讀者還沒有信心來運用敏捷培養領導人，那麼看看 Yves 的成長，也許您會改變想法。

最後來談談這本書，很高興 Yves 出書了，敏捷的書很多，但是 Yves 這本的不同是它代表了台灣的經驗，這本書裡提供了鈦坦的「八不經驗」，這是一般書裡面比較不會談到的，這些都是鈦坦「悔不當初」的經驗，我會稱它為——成功的反思，這也反映了敏捷系統訓練出來的另一個特質——從反思（Retro Meeting）裡求進步！

另外，在書裡談到了不適合跑敏捷的人的特質：不喜歡改變、不樂於互動、不把客戶利益放在第一位的人。這些也很重要，在我們選擇誰適合參與敏捷 Scrum 的運作，這是一個重要的篩選指標。

最後來總結一下，我非常推薦這本書，它有扎實的經驗、有真實的人物代表，是我們可以看得見、摸得到的，我很鼓勵大家去購買，至少我知道達真就會買很多本的！

人類未來往上提升的基石

賴俊龍　Jason Lai

　　大概在 4 年前我在學長 Yves 的臉書上第一次看的「敏捷」二字，當時以為這不運動的肥宅（？）終於覺悟了，沒想到從那之後，不斷受到開悟的其實是我（！）

　　年初拿到 Yves 的這本生存指南，恰巧是我在開啟另一個事業階段的沈澱期，恰巧在墾丁休長假的空閒時刻，努力地啃完了這本三百多頁的「補坑」指引。多數人對我的印象是戶外旅遊節目主持人，但我的熱誠一直是「做生意」。待過軟體公司，開過設計公司，接手過家族事業，連續創業之餘，我同時也是企業顧問。當一個人從單一職掌（工程師、業務、企劃等）前往管理者（PM、主管、老闆等）的角色時，很容易遇到一個非常關鍵卻被低估的危機——缺乏管理組織的能力，因此土法煉鋼，跌跌撞撞不在少數，在下也是深受其害。因此各種管理學的工具書以及課程永遠都有其信徒簇擁著。

　　Yves 這本生存指南應該是華語世界第一本經營者實際根據自己以「敏捷管理」打造一個團隊的實戰手冊，無論是自身領悟的「敏捷八不」還是一路走來從各家管理書籍「不服從的領導學」或「領導者的蛻變」等所淬煉出來的心得，每每在「吸收」的當下讓身為管理者的我有種「對，就是這樣」的經驗感，非常暢快。

　　老實說我一直不認為敏捷管理是一個容易上手的管理策略。以人為本，圍繞在人員的「動機」與「自覺」為出發點，「敏捷」其實對於主事者本身的「自我覺察」能力有極大的要求，次而則是團隊對於流程與決策「透明」的文化需要穩固。在我的經驗裡，以「改造」為切入點要導入敏捷，真的不容易。不過當市面上其他的書籍講的是一種完美狀況的操練守則時，這一本生存指南

有如一位 life coach 一般，對於推動敏捷會有的實際狀況，提供了具體的執行步驟。

可能本身也是作者的老友，讀的是敏捷管理，但看到更多的是心法，是行動後面的起心動念。從書中感受到因正念所驅動的思維與行動，我相信是人類未來往上提升的基石。

Instagram

用原本的方式無法做出不同的結果

朱宜振　Lman Chu

CEO & CoFounder at BiiLabs

當聽到 Yves 邀請寫推薦序時，我是受寵若驚，拜讀之後，老實說還沒讀到一半就已經感受到許多受用之處，甚至深受啟發。

尤其當讀到「為何要導入敏捷」這個章節。

看到 Yves 給的極簡單卻又是當頭棒喝的答案：「我們開始導入敏捷，是因為用原本的方法看不到未來。」完全再次的打醒了我。

過去有將近二十年的背景都在台灣最堅實的硬體產業，所以我們確實過去最熟悉的開發和管理過程就是書中提到的瀑布式（Waterfall）的開發管理方式，過去很菜的時候雖有過疑問，卻沒提出挑戰，加上台商的文化一直都是 Top down 的管理而非真的採敏捷的方式。直到我自己跟團創業後，藉由當時 CEO 給我的授權，我抱著若我只是用我以前所訓練的方式來做事，那麼就算把過去的方式打到極致，大概能夠成就的天花板就是台灣公司的方式，但這世界上偏生有著這麼多創造巨大影響力的公司，他們到底是用怎麼樣的方式來做事進而形成公司的文化呢？於是當時就開始瞎子摸象，思考著在我已知的方式下能否有更好的管理和開發方式來管理團隊，當時時間是 2010 年前後。

直到自己開始創起自己的業，同時間認識了 Yves 開始接觸了敏捷文化，並且也在自己的公司試著調整各種管理和做事的方式，希望藉由這樣的文化來揉出一個適合團隊的敏捷。

所以當看到這本書後，光透過標題就可以知道這真的是一本值得推薦和閱讀的生存指南，尤其是給經營者，或者你是產品經理，甚至跟我一樣是從過去傳統的職場教育走過的，若你想追求不一樣思維甚至追求卓越，那麼這本書值得你一讀。

結合理論與帶領團隊的實務經驗

蔡明哲　Richard Tsai

悠識數位執行長及 HPX 社群創辦人

　　近十年來敏捷文化發展極快，深受創新團隊喜愛。起源於改善軟體開發流程，現則早已擴展到團隊領導與企業管理層面。本書作者 Yves 是國內推廣敏捷文化推手之一，而且是把敏捷提升到企業組織層級最重要的人物。

　　我在幾次敏捷年會上收到他引進的新觀念跟知識，例如 VUCA（易變、複雜、不確定與模糊）的時代或全員參與制（Sociocracy）團隊溝通模式，這些都是跟組織文化相關的議題，讓人感受到敏捷文化相當博大精深。

刻不容緩的敏捷領導與學習

陳柏宇　Adam Chen

《英國劍橋 FTT 引導式培訓》國際認證　亞洲首位認證導師

　　本書實用性很高，作者並不唱高調，結合理論與帶領團隊的實務經驗，以最簡易明瞭的文字說明，很容易理解。任何想幫助團隊更好的讀者，這本書都值得你仔細閱讀！

　　「敏捷領導與學習」已到了刻不容緩的地步！那該如何敏捷變身，理出一條清晰核心思路？如何統合彼此立場，共創找尋新突破點？如何匯整大家的思路，認可形成集體共識？又該如何面對組織運營各階段，選用合適工具與框架，抓住商業機遇？那怎樣才能透過新價值文化認同與推行，引動個人思維轉化與蛻變，帶動組織整體對話協作，有效翻轉難以轉變的慣性弊病？最終，如何能模擬建構生態場域，培養即戰商業敏銳，打造高專精人才梯隊，推動組織自主演化？

Facebook

保有好奇心、無自我性、專注社會需求

林擁瀚　Oliver Lin

量子領導力／共感文化　創辦人

《敏捷管理生存指南》這是一部敘述人類邁向未來的藝術管理工具書！一段新世紀的非權威式創意訓練，本書帶我們反覆思辨，帶著覺知，洞悉直覺，認知「藍海」在於多元的將人與人之間敏捷空間建構好，進入更高一層次的有機式企業！

作者將實戰分享給讀者，系統性的列出增加心智健全的設計方法，破除個人主義文化造成組織歧見的困境，不同維度有不同的溝通方法，建構一座如彩虹般光譜的橋梁的觀念，將組織中的絆腳石洋蔥式的剝開，回歸高效度互動，打造享樂性工程的關鍵金鑰！

打開本書前，先認知這是一場哲學的洗禮，跳脫既有觀點是儀式感的準備，「敏捷八不」的實踐心法，先讓我們有限的大腦關機，將阻礙我們打開組織「心流」的雜質一一破除，閱讀中像是服用了益生菌般，重新帶領我們思考如何在快速變遷的年代保有企業文化的彈性與變形；此書細膩的在每個段落；標注出「常見迷思」，這是一個很好的防護網，破除敏捷過往使用的糖衣與桎梏，人人是在準備好的狀況下，進行本書的消化，向內重新對自己定位提問，打開個人思維的活路，提高團隊互相創化的品質！

保有好奇心、無自我性、專注社會需求為穩定發展根本。

我們會在這邊找到共鳴，保有融入團體與塑造獨一無二自己的初心，做自己的敏捷設計師！

Facebook　Instagram

擁抱變更、彈性因應

周龍鴻　Roger Chou
專案經理雜誌總編輯
台灣國際專案管理師創辦協會理事長
長宏專案管理顧問公司總經理

我認識的 Yves 是非常謙卑的，在 12 年前，不到 30 歲的年紀，就擔任外商公司的總經理。Yves 擁有高度的思維，加上謙卑的性格，因此我極力推薦他。身為一位具有專業又有地位的高階經理人，卻能夠在踏入敏捷領域後，再回歸到虛懷若谷的狀態，是值得所有敏捷人士共同效仿並學習的最佳典範。

這幾年以來，敏捷專案管理因為「擁抱變更、彈性因應」的管理手法特性，在台灣軟體產業蓬勃發展。幾年期間，也逐漸被其他產業所重視，特別是需要推動數位轉型，以及進行組織重組改造的企業，原因在於敏捷可以用更有彈性的方式因應客戶需求及產業環境的快速變更，使企業面對大環境的不確定性，更能敏捷地轉變策略、維持營運、持續生存。

長宏自 2014 年輔導敏捷專案管理訓練課程開始，陸陸續續受邀到許多企業進行基礎敏捷思維的推廣。在這些企業進行教育訓練時，我觀察到長久以來累積的組織文化，使得台灣企業所推動的敏捷，很多都不具備「真正的」敏捷精神。因為許多企業主並未充分授權，所以仍會有「控制」的成分存在，就是所謂的「Scrum, but」。這件事情可以進一步從證照人數的趨勢來觀察分析，若透過 Scrum Alliance 機構查詢 CSM 人數，截至台灣 2020 年 12 月僅有約 1,440 位，反觀同樣位於亞洲的新加坡，在相同的發展時間歷程下，CSM 人數已經有 1 萬多位，由此可見台灣對於敏捷專業人士的重視，還有很大的成長及進步空間。

Yves 是很有名的新加坡商鈦坦公司的前總經理。鈦坦自 2005 年創立，他在 2009 年就接任新加坡總經理，隨後在 2012 年接任台灣地區總經理，是非常專業的高階經理人。鈦坦自 2015 年起開始推動敏捷，當時因為專案的速度趕不上計畫的變化，所以為了因應時代潮流也不得不改變運作模式。在導入 5 年後，可以看到鈦坦公司台灣地區員工人數從 150 人激增到 300 人，也成功從一般專案管理，變成台灣施行敏捷專案管理最成功的企業之一。

　　因此，我誠摯地向大家推薦這本 Yves 集個人經歷用心整理、撰寫的書籍。Yves 站在「敏捷實務基礎」的角度編寫這本書的內容，跟我們過去看到的許多敏捷聖經大不相同。一般敏捷書籍多數在描述敏捷的理論跟框架，但他站在實務的角度進行剖析及反思，更務實地貼近敏捷職場的真實面。

　　這本書的特色有三個：第一、它是單純的實戰型書籍，內容包含這 5 年來 Yves 推動敏捷所遇到的困難，以及他如何解決；第二、這本書包含很多他親身驗證的經驗，比如：敏捷有「透明化」的概念，一般人總覺得在運作敏捷的過程中越透明越好，但 Yves 重新定義「透明化」就是把對專案有幫助的資訊說清楚就好；第三、這本書有許多 Yves 自己的體會，比如：敏捷八不。包含：1.敏捷不是消滅主管、2.敏捷不是十項全能、3.敏捷不是顧客第一、4.敏捷不是一切透明、5.敏捷不是共識決、6.敏捷不是反官僚、7.敏捷不是花大錢教育訓練、8.敏捷不是心靈成長夏令營。相信各位讀者可以透過閱讀這本書，更加了解敏捷真正的精神、減少摸索的時間，並實際運用於工作中。這絕對是一本值得你一再回味的敏捷好書！

一條在 VUCA 年代的必經之路

張譯文　Kyle Chang

卓越執行企管顧問執行長

真心推薦許多企業主、總經理、主管，若想要提升領導力、績效、向心力、創造學習型組織、自組織、高效的工作團隊，導入敏捷的文化是一條在 VUCA 年代需要的必經之路。

謝謝 Yves、鈦坦、敏捷協會在台灣推動敏捷，也願意出版具有實務操作的敏捷專書，讓無法一窺敏捷美麗與哀愁的麻瓜們，可以了解如何進入這升維後的魔法世界。

這是一本需要去超連結的書，在閱讀的過程中，建議讀者去畫重點、上網搜尋、找書延伸閱讀、看影片、讀網路相關文章……。您看見的世界、所獲的知識將如滔滔江水不斷湧入，這也是身為一個敏捷領導者需要的背景知識。好在 Yves 善用各種生活上的比喻、故事讓我們深入淺出地理解敏捷管理的名詞、活動、流程、核心價值，書中還分享了關於敏捷的核心思考和專案管理的各種工具，企業敏捷化的應用，介紹引導和開會的方式以及在這條路上你將遇到的問題與挑戰……。

我很認同書中許多觀點例如：要能成功轉型，有三大關鍵：分別是「主管定位」、「領先指標」和「企業文化」，簡單三個重點，卻是一條漫長的連結之路。

分享一個小故事，有次我遇到一位總經理，他説有一天我資訊部門主管跟我説要導入敏捷，我就放手讓他試試看，後來……走了不少人，我不知道發生什麼事，有些會議我還不能進去，結果是留下來的，加上新進來的同仁，讓這

資訊部門開始有了向心力，也讓敏捷開發慢慢進入狀況，績效在一年多之後開始提升，結論是總經理説：「我不知道發生什麼事，也不用管，他們就把很多專案搞定了。」總經理説，「我下周正準備把這資訊主管升到副總的位置。」

在職場上許多講師都在教敏捷，可是真正有實際操刀經驗的黑手卻不多，能位居高職帶領團隊變革，然後又是博覽群書的學習者，這些交集就又更少了（可能只剩阿一了），真是時代的眼淚，也是因緣的和合。要理解理論不難，但要能落實並看到績效這就需要領導者的魄力與相關的配套措施了，所以主管、SM 也需要具備引導、教練的的能力，在書中也可以看見阿一在提問與反思上的展現。

最後跟各位分享一個我發現的彩蛋，只要有阿一寫的「我認為」通常下一句都是很深刻體悟後的智慧語錄，祝大家學習敏捷、享受敏捷、活出敏捷的迭代人生。

Facebook

創造跨領域學習碰撞的火花

曾士民　Eric Tseng

文化事業學會（ICA）引導師

　　我喜歡 Yves 學習的精神，平時我都追隨（follow）Yves 幽默的文章，他有豐富的敏捷導入實務經驗，更具備探究與自我反思的精神，書中收集他多年敏捷導入的實踐心得與建議，還有跨領域學習的心得收穫（除了相關學習資源外，還有他親自訪談各領域大神的 YouTube 連結），感恩 Yves 連結引導與敏捷，創造兩個領域彼此學習碰撞的火花。我真心推薦這本書給想讓組織變得更敏捷的領導者，以及想協助客戶改變的顧問與引導師。

Facebook

敏捷管理生存指南

不是快，而是適者生存　　下・進階應用

作　　者　　林裕丞 Yves

編　　者　　翻滾海貍工作室

企劃總監　　張翼鵬

責任編輯　　黃鈺婷

校對協力　　王雅慧、張曉華

封面繪製　　葉千綸

版面構成　　劉珊帆

發 行 人　　楊子漠

出　　版　　翻滾海貍工作室

　　　　　　115　台北市南港區興中路28巷10號24樓

　　　　　　0972-878955

網　　址　　www.acrossbeavers.com

法律顧問　　司馬仲達國際法律事務所

出版日期　　2021年06月　初版一刷

　　　　　　2021年07月　初版二刷

　ISBN　　　978-986-99514-2-5

定　　價　　NT$310